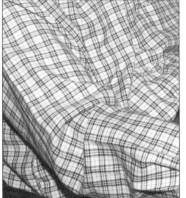

Bro

Gwyn~~~~

Golygydd:

Peter Hughes Griffiths

Cyhoeddiadau Barddas
2008

(h) ar y llyfr yn ei gyfanrwydd: Peter Hughes Griffiths/Cyhoeddiadau Barddas

Argraffiad cyntaf: 2008

ISBN 978-1-906396-15-2

Cyhoeddwyd gyda chymorth ariannol
Cyngor Llyfrau Cymru

Cyhoeddwyd gan Gyhoeddiadau Barddas
Argraffwyd gan Wasg Dinefwr, Llandybïe

RHAGAIR

*'Gwynfor Evans oedd gwladgarwr mwyaf
Cymru'r ugeinfed ganrif a gwnaeth ei
ymroddiad i'w wlad drawsnewid
rhagolygon y Cymry fel cenedl.'*

Dyna'r frawddeg gyntaf i ddisgrifio gwrthrych y gyfrol hon yn *Gwyddoniadur Cymru* yr Academi Gymreig lle y neilltuir tudalen gyfan bron i nodi mawredd a phwysigrwydd y gŵr hwn yn hanes ein gwlad.

Â ymlaen ymhellach i ddweud: 'Llwyddodd, trwy gyfuniad o ddycnwch rhyfeddol a gwelidigaeth angerddol, i droi Plaid Cymru yn rym etholiadol credadwy a gwelwyd ei fuddugoliaeth yn isetholiad Caerfyrddin yn 1966 yn drobwynt yn hanes Cymru.'

Ystyriwyd Gwynfor yn 'Aelod dros Gymru' yn ystod ei gyfnod yn San Steffan ac fe arweiniodd ei ymgyrchu di-baid dros ddatganoli grym i Gymru yn y pen draw at y Cynulliad Cenedlaethol sydd heddiw yng Nghaerdydd.

Lluniodd Rhys Evans yn ei lyfr *Gwynfor: Rhag Pob Brad* fywgraffiad gwleidyddol ardderchog o Gwynfor Evans, ac mae'r bywgraffiad hwnnw yn garreg filltir bwysig yn hanesyddiaeth Cymru.

Ond, mae'n bwysig nodi bod Gwynfor yn 'ddyn teulu' yn ogystal â bod yn ffigwr cenedlaethol a chyhoeddus. Byddai wrth ei fodd yn treulio llawer o'i amser gartref neu'n teithio gyda Rhiannon a'r plant a chyda'u teuluoedd a'u hwyrion wedi hynny.

Ac oherwydd ei gyfraniad diflino i gymaint o wahanol agweddau ar fywyd Cymru, anodd fyddai dilyn taith Gwynfor mewn llun a gair yn gronolegol. Dyna pam y ceisiais ddarlunio'i fywyd o dan benawdau gwahanol.

Bydd y casgliad hwn o'r cannoedd ar gannoedd o luniau sydd ar gael o Gwynfor Evans yn ein helpu i sylweddoli camp unigryw'r unigolyn hwn yn ystod oes hir o ymgyrchu diflino dros achos Cymru.

Yn ddiddadl, caiff Gwynfor Evans ei gofio fel un o brif 'Seiri Cenedl y Cymry' ac fel un a'n harweiniodd 'Rhagom i Ryddid'.

Peter Hughes Griffiths

GWYNFOR EVANS
1912 – 2005

'*GWYNFOR* – Mae'r enw yn rhan annatod o hanes deffroad Cymru yn yr ugeinfed ganrif.'

Pennar Davies

'Gwynfor Evans yn ddiddadl yw Cymro mwyaf yr ugeinfed ganrif. Mewn gyrfa wleidyddol hir ac unplyg – ef oedd Llywydd Plaid Cymru o 1945 hyd 1981 – fe drodd Blaid Cymru o fod yn 'blaid fach' i fod yn rym allweddol yn hanes Cymru.
Ef ei hun oedd y dylanwad unigol mwyaf y tu ôl i'r symudiad at ddatganoli ac at ffurfio Cynulliad Cymreig.'

Broliant *Cymru o Hud*, Gwynfor Evans a Marian Delyth, 2001

1

Y BARRI A'R CEFNDIR TEULUOL *(Pennod I)*

'O'm cartref yn Somerset Road uwchlaw dociau'r Barri gwelwn fryniau Gwlad yr Haf, o'r Quantocks i Exmoor, draw dros Fôr Hafren ... Y pryd hwnnw esgynnai sŵn y trenau glo yn siynto, a sŵn y glo wrth iddo gael ei arllwys i fol rhyw long, yn fyglyd o'r tywyllwch oddi tanom.

Ardal gosmopolitan oedd ardal y dociau, a chymysg iawn ei phoblogaeth oedd gweddill y dref. O'i phoblogaeth o ddeng mil ar hugain, lleiafrif oedd y Cymry o'u cymharu â'r nifer o fewnfudwyr o Gernyw a Gwlad yr Haf, a siroedd Caerloyw a Henffordd.'

Bywyd Cymro, Gwynfor Evans (Golygydd: Manon Rhys),
Cyfres y Cewri 4, 1982

2

3

3. Y Goedwig yn Somerset Road, Y Barri, lle y ganwyd ac y magwyd Gwynfor Evans.

4. Gwynfor Richard Evans yn 1913. Daw'r 'Richard' o gyfenw ei fam.

'Cafodd ei eni yn Y Barri ar y cyntaf o Fedi 1912 yn fab i Dan Evans, gŵr dibrin ei ddoniau a lwyddodd i adeiladu busnes amlganghennog yn y dref honno heb golli dim o'i serchowgrwydd bachgennaidd, a'i wraig Catherine a ofalai am flynyddoedd am ei siop tsieina yn yr un dref ac a oedd hithau'n nodedig ei haddfwynder a'i charedigrwydd. O ran pryd a gwedd hawdd oedd gweld fod Gwynfor yn gymysgedd cytbwys o nodweddion ei dad a'i fam.'

Gwynfor Evans, Pennar Davies, 1976

4

5. Gwynfor gyda'i frawd Alcwyn a'i chwaer Ceridwen yn 1920.

6. Y teulu yn 1924: Gwynfor, Catherine Evans ei fam, Ceridwen ei chwaer, Dan Evans ei dad ac Alcwyn ei frawd.

'Roedd yn fwy anodd i'n cartref ni na llawer un fod yn Gymraeg. Siopwyr oedd fy nhad a mam ... Ni fyddent yn cau eu siopau hyd naw o'r gloch ar nos Sadwrn, wyth o'r gloch nos Wener a chwech o'r gloch y nosweithiau eraill. Profodd yn anodd iddynt gael Cymraes o ran iaith i ofalu am y tŷ. Am flynyddoedd, gwraig ifanc o Barrow-in-Furness a wnâi'r gwaith, a gan hynny, Saesneg oedd iaith y cartref.'

Bywyd Cymro, Gwynfor Evans

5

6

7

7. Dan Evans, tad Gwynfor, yn 1930.

8

8. Hen deulu Cae Siencyn yn 1879.

9. Cae Siencyn, Llangadog, cartref teulu Dan Evans.

'Mab hynaf gweinidog yr Annibynwyr yn Llanelli oedd fy nhad. Ond nid yn Llanelli y ganwyd ef ond yng Nghae Siencyn, Llangadog ... cartref ei fam ... Yn ei lyfr ar Hanes Methodistiaeth yn Sir Gaerfyrddin, enwa James Morris Cae Siencyn fel un o'r pedwar tŷ yr ymwelid â nhw gan Howell Harris ... Gwraig Daniel James, sef fy hen fam-gu ar yr ochr hon, oedd Elizabeth Davies, Penybont, y fferm nesaf at Wernellyn.'

Bywyd Cymro, Gwynfor Evans

9

10

11

10. Y Parchedig Ben Evans, tad-cu Gwynfor, a'r teulu yn 1904.

11. Teulu Felindre yn 1912.

'Un o Felindre, Pontarddulais, oedd Ben Evans, yn fab i wehydd a ddaethai yno yng nghanol y ganrif o Alltwalis ... Roedd yn bregethwr od o nerthol. Pan ddechreuais deithio o gwmpas Cymru, bum mlynedd ar hugain ar ôl ei farw, deuai pobl ataf ... i sôn am bregethau a glywsant ganddo ... Cymeriad difyr oedd James Evans ... tad Ben ... arweinydd y gân ac yn ben diacon yng nghapel yr Annibynwyr yn Felindre ...'

Bywyd Cymro, Gwynfor Evans

12. Catherine Mary, mam Gwynfor.

'Fe'i ganed ac fe'i maged yn y New Inn, tafarn yng Nghydweli sy'n siop 'sgidiau ers blynyddoedd ... William Richard, ei thad, oedd piau'r dafarn. Bu'n Warden eglwys fawr Cydweli fel ei dad yntau o'i flaen. William oedd hwnnw hefyd, a chrydd yn ôl ei alwedigaeth ... Roedd fy mam-gu, Sage Protheroe, yn ferch i John Protheroe, gof, a Lettice Treharne, hithau yn ferch i fferm Y Trallwng, Llangyndeyrn.'

Bywyd Cymro, Gwynfor Evans

12

13

'Yn Llanelli y maged fy nhad ... Yn bedair ar ddeg oed fe'i prentisiwyd ef i *Ironmonger* ... Yn un ar hugain oed, gyda chyfalaf o bedwar can punt a gafodd ei fenthyg gan ei Nwncwl Walter James, agorodd ei siop ei hun yn Holton Road, ac adeiladodd yno fusnes mawr a dyfodd yn fwy byth gyda help fy mrawd Alcwyn ymhen cenhedlaeth.'

Bywyd Cymro, Gwynfor Evans

14

13. Catherine Mary Richard (yn eistedd yn y canol yn y rhes flaen) gyda'i ffrindiau yn 1898.

14. Holton Road, Y Barri, 1910.

'Yn bedair ar ddeg oed aeth fy mam i weithio mewn siop. Ar ôl priodi cadwai ei siop tseina fawr ei hunan a hynny hyd at ei thrigeiniau ... Bu Mam yn aelod gweithgar o gapel ar hyd ei bywyd, yn ffyddlon i gyrddau'r wythnos yn ogystal â'r Sul.'

Bywyd Cymro, Gwynfor Evans

15

16. Cofeb y Parchedig Ben Evans yng Nghapel y Tabernacl, Y Barri.

'Prif arwr fy nhad a fy mam a'r prif ddylanwad arnyn nhw oedd fy nhad-cu, Ben Evans, gweinidog y Tabernacl. Addolai'r ddau eu cof amdano.'

Bywyd Cymro, Gwynfor Evans

15. Capel y Tabernacl, Y Barri.

'Perthynai tuag wyth gant o Gymry Cymraeg Y Barri i'r chwe chapel Cymraeg oedd yn y dref ... Tabernacl, ein capel ni, oedd yr un mawr, gyda rhyw dri chant o aelodau yn ystod y dauddegau. Fy nhad-cu oedd ei weinidog cyntaf ... Pan oeddwn yn grwt ... Doedd dim un bachgen, a dim ond un ferch yn fy nghenhedlaeth i, yn deall ac yn siarad yr iaith. Rhoddai'r pregethwr bregeth y plant i ni yn Saesneg, fel y deallem rywbeth yn ystod y gwasanaeth.'

Bywyd Cymro, Gwynfor Evans

16

Er Serchus Cof am

Y PARCH BEN EVANS,
GWEINIDOG YR ECLWYS HON AM 17 MLYNEDD.
BU FARW MEHEFIN 21. 1918. YN 65 OED.
"RHAGOROL WEINIDOG, GWYCH, ENWOG, A CHU.
YN DDISCLAER OLEUAD I LAWER A FU:
CYSEGRODD EI DALENT AR ALLOR EI OES,
PREGETHAI YN FFYDDLAWN YR IESU A'I GROES."
"YN GWNEUTHUR DAIONI NA DDIOGWN; CANYS YN
EI IAWN BRYD Y MEDWN, ONI DDIFFYGIWN."
GAL. VI. 9.

17

17. Golygfa o gapel hardd y Tabernacl, Y Barri.

'Roedd gan fy nhad lais bariton hyfryd ... Gwrthododd wahoddiad gan gwmni opera Carl Rosa i ymuno fel perfformiwr proffesiynol ... Bu fy nhad yn arweinydd y gân yn y Tabernacl am hanner can mlynedd, ac yn ben diacon am ran dda o'r cyfnod hwnnw. Ond ei bennaf gogoniant oedd ei gôr cymysg o dros gant o leisiau a berfformiodd bob un o'r oratorios mawr droeon ...'

Bywyd Cymro, Gwynfor Evans

'Yr oedd cerddgarwch yr aelwyd yn sicrhau y byddai emynau a chaneuon gwerin Cymru yn rhan o dreftadaeth y teulu.'

Gwynfor Evans, Pennar Davies

18

18. Y Ffenestr Liw yng nghapel y Tabernacl, Y Barri.

'Yn yr oedfa fore Sul, Tachwedd 5ed, 2000, dadorchuddiwyd ffenestr liw newydd yn Eglwys Annibynnol Gymraeg Y Barri. Ffenestr yw hon a gyflwynwyd gan y teulu er cof am Dan a Catherine Evans, dau a fu'n fawr eu parch yn yr Eglwys, ac yn y dref. Cynlluniwyd a chrefftwyd y ffenestr gan Gareth Morgan o Gaerfyrddin ac mae wedi ei chynllunio ar bennod o Lyfr y Proffwyd Eseia – pennod 35 – ac fe welir yn y ffenestr ddisgrifiad graffig o Dduw'n trawsnewid tir sych yr anialwch yn baradwys ...'

Y Parchedig Beti Wyn James,
Y Tyst, 2000

YSGOL A CHOLEG

(Pennod 2)

'Roedd y Rhyfel Mawr ar ei ganol pan es i ysgol y plant lleiaf yn bedair oed ... digon anhapus oedd y saith mlynedd nesaf yn Ysgol Gladstone Road.'

Bywyd Cymro, Gwynfor Evans

19

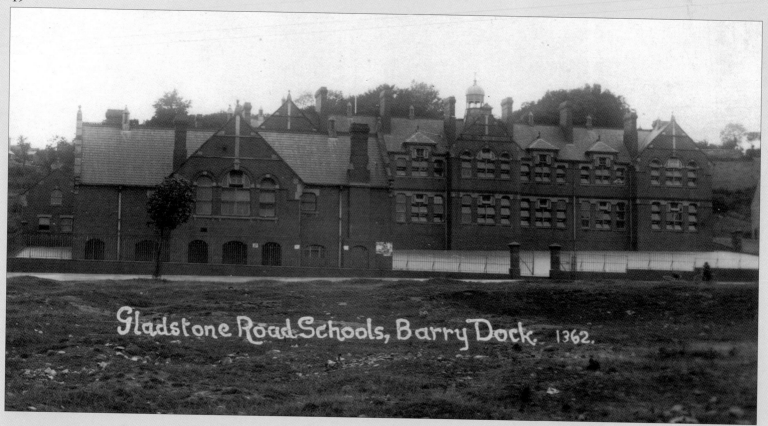

19. Ysgol Gladstone Road, Y Barri.

20. Ysgol Ramadeg Y Barri.

'Daeth tipyn o welliant yn Ysgol Ramadeg Y Barri, lle (yn y blynyddoedd rhwng 1926 a 1931) y dysgai'r Gymraeg ...'

Gwynfor Evans, Pennar Davies

'... peth ffodus iawn i mi oedd dyfodiad Mr Gwynallt Evans, yn syth o'r Brifysgol, fel athro Cymraeg, a minnau'n unig ddisgybl iddo yn y chweched dosbarth ... Ein hathro hanes oedd neb llai na David Williams, 'tad' y genhedlaeth hon o haneswyr Cymru.'

Bywyd Cymro, Gwynfor Evans

20

County School. Barry.

21

21. Dosbarth yn yr Ysgol Ramadeg tua 1924-1925. Credir mai Gwynfor yw'r bachgen sy'n sefyll yn y gornel wrth y ffenestr.

22

22. Tîm Criced Ysgol Ramadeg Y Barri 1930-31. Gwynfor yw'r capten gyda'r darian o'i flaen.

'Mawr hefyd oedd ei ddyled i'r Ysgol Ramadeg. Edgar Jones oedd y prifathro ... Darparai ... i'r chweched dosbarth wersi ar bynciau fel athroniaeth ac archaeoleg. Elwodd Gwynfor Evans yn fawr ar y rhain a hefyd ar bwyslais yr ysgol ar chwaraeon. Cafodd gapteinio timau criced a hoci, a chwaraeai dros ysgolion uwchradd Cymru.'

Gwynfor Evans, Pennar Davies

'Yn ddwy ar bymtheg oed daeth darllen Cymraeg yn fwyfwy gafaelgar ... Mae'n debyg i mi brofi rhywbeth tebyg i dröedigaeth ... Daeth Cymru yn fyw iawn i mi ... Wrth grwydro gwlad Cymru argraffai ei phrydferthwch cyfareddol yn ddwfn ar feddwl a theimlad, ac o hyd gall harddwch llecyn a golygfa gipio fy ngwynt a thynnu dagrau ... Er hyn oll âi sbel o amser heibio cyn y cawn wybod am genedlaetholdeb Cymreig, na hyd yn oed fy mod yn perthyn i genedl a chanddi hawl ar fy nheyrngarwch.'

Bywyd Cymro, Gwynfor Evans

23. Gwynfor yn aelod o Dîm Criced Ysgolion Cymru yn 1930.

23

24

25

'Bu'r ddwy flynedd yn y chweched dosbarth o bwys mawr i mi. Dyma'r adeg y deuthum yn ymwybodol o ryfeddod Cymru, ac o felltith rhyfel a phwysigrwydd y bywyd cydwladol. Roeddwn i'n gyd-genedlaetholwr am flynyddoedd cyn i mi ddod yn genedlaetholwr.'

Bywyd Cymro, Gwynfor Evans

25. Gwynfor yn 1931.

24. Roedd Gwynfor yn gapten ar Dîm Hoci Ysgol Ramadeg Y Barri 1930-31. Edgar Jones y prifathro sydd ar y chwith a Gwynallt Evans yr athro Cymraeg sydd ar y dde. Mae Gwynfor yn y canol yn y rhes flaen.

26. 'Mynychai gartref J. M. Edwards yn Clement Place pan oedd yn ifanc i gael sgwrs a gloywi iaith yng nghwmni'r bardd o Geredigion. Edmygai J. M. yrfa'r gwleidydd wrth iddo gymryd arno faich y frwydr am urddas cenedl.'

Emyr Edwards, *Bro a Bywyd: Beirdd y Mynydd Bach*, 1999

'Melys yw'r cof am wyliau yn Llangadog yn ystod y cyfnod ysgol hwn. Roeddwn i'n dipyn o foi ymhlith y gwladwyr am fy mod i'n dod o'r dre ...

'Ni ddylai'r un bachgen sy'n byw yn y wlad
Fynd lawr i Langadog heb siarad â'i dad!'

Bu teulu'r Frondeg, Bacwai, Nwncwl Walter ac Anti Mary a'u mab Danny a'u merch Blodwen yn od o garedig i mi.'

Bywyd Cymro, Gwynfor Evans

26

Rwy'n ei gofio yn ein tref a'i swildod iddo'n glogyn
A'r Gymraeg yn crynu'n nerfus ar ei wefus ifanc,
A brad ei wlad yn blino a llwydo'r llanc ...

Rhaid bellach yw gwrando arno a gwylio'i fys
Yn ein harwain i'r unig lwybr lle cryfheir ein hiechyd,
Lle bydd gwyntoedd ein bryniau ni yn foddion ein bywyd;
Gwrando ar ei lais yn cyhoeddi, fel corn cad,
Addewid am ein hunig wawr o Wyddfa ei wlad.

'Yr Arweinydd (i Gwynfor Evans)',
Y Casgliad Cyflawn, J. M. Edwards, 1980

27. Gwynfor ac Alcwyn gyda'u rhieni Catherine a Dan Evans yn 1932. Ni wyddys pwy yw'r ferch yn y llun.

'Fel myfyriwr yn y gyfraith yng Ngholeg y Brifysgol, Aberystwyth, rhwng 1931 a 1934, yr oedd yn amlwg yng ngweithgareddau Clwb y Perthnasau Cydwladol, ac fe'i dewiswyd yn ysgrifennydd ac wedyn yn llywydd iddo ... yr oedd yn weithgar ym Mudiad Cristnogol y Myfyrwyr ... cafodd gynadledda yng Nghaeredin yn 1933.'

Gwynfor Evans, Pennar Davies

28. Tîm Criced Coleg y Brifysgol, Aberystwyth, yn 1932. Mae Gwynfor ar y dde yn yr ail res.

29. Tîm Hoci Coleg y Brifysgol, Aberystwyth, yn 1933. Gwynfor yw'r ail o'r chwith yn y rhes gefn.

30

30. Cangen y Blaid Genedlaethol yng Ngholeg Aberystwyth. Yn y rhes flaen mae Eic Davies yn y canol gydag Olwen Williams i'r dde iddo, yna Gwenallt a Hywel D. Roberts ar y pen.

'Rhyfeddai at ymroddiad llanciau a llancesau a fyddai'n gwerthu'r *Ddraig Goch* o gwmpas strydoedd Aberystwyth – Gwennant Davies, Eic Davies, Gwyndaf Evans a Hywel D. Roberts ac eraill ... ond un diwrnod gwelodd bamffledyn melyn y tu allan i siop lyfrau yn Aberystwyth, *The Economics of Welsh Self-Government* gan D. J. Davies. Symudodd y llyfryn hwn bob rhith o amheuaeth, ac yn haf 1934 aeth at Cassie Davies yn Y Barri i ymuno â'r Blaid Genedlaethol ...'

Gwynfor Evans, Pennar Davies

31

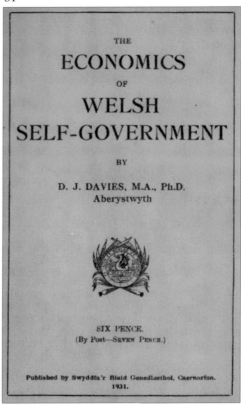

THE

ECONOMICS

OF

WELSH

SELF-GOVERNMENT

BY

D. J. DAVIES, M.A., Ph.D.
Aberystwyth

SIX PENCE.
(By Post—SEVEN PENCE.)

Published by Swyddfa'r Blaid Genedlaethol, Caernarfon.
1931.

31. *The Economics of Welsh Self-Government* oedd pamffled Saesneg cyntaf Plaid Cymru.

32

33

32. Cassie Davies.

'Cerddais adref i'r Barri ar
ddiwedd fy nhymor olaf …
Drannoeth euthum at Miss
Cassie Davies yng Ngholeg Y
Barri ac ymuno â Phlaid
Genedlaethol Cymru.'

Bywyd Cymro,
Gwynfor Evans

'A dyma'r pryd y dechreuodd dyn ifanc hynod olygus
o'r Barri, yn gwisgo *blazer* Coleg Aberystwyth alw
i'm gweld er mwyn cael siarad am y Blaid newydd
hon a gofyn am gael ymuno â hi. Testun ymffrost a
llawenydd bythol i mi yw mod i wedi cael y fraint o
dderbyn Gwynfor Evans yn aelod o'r Blaid yn y
flwyddyn 1934, ac mai gyda mi y siaradodd e' gynta
yn un o'i chyfarfodydd a hynny yng Nglyn Nedd …
Ychydig iawn a feddyliais i bryd hynny y byddai
Gwynfor yn dod i chwarae rhan mor flaenllaw a
thyngedfennol bwysig ym mywyd Cymru ac y
gwelwn i'r dydd gorfoleddus y dewisid ef gan Sir
Gaerfyrddin yn Aelod Seneddol cyntaf Plaid Cymru.'

Hwb i'r Galon, Cassie Davies, 1973

33. Cymdeithas Dafydd ap Gwilym yn Rhydychen yn 1935 ac yn dathlu Jiwbili'r
gangen.

Cefn: D. R. Griffiths, T. Gwynn H. Jones, Gwynfor Evans, D. M. Jones.
Canol: Harri Williams, A. Tudno Williams, D. Rap Thomas, G. R. M. Lloyd,
D. J. Samuel, Evan Jones, Powell Hughes, C. M. Evans.
Blaen: G. I. Jones, G. P. Jones, G. O. Williams, R. H. W. Jones, Goronwy
Edwards, J. R. Jones, H. D. Lewis, J. O. Roberts, D. M. Evans.

'Aeth Gwynfor i Rydychen yn 1934, ac ni bu yno'n hir cyn sefydlu cangen o'r
Blaid … Manteisiodd yn llawn ar y cyfle a gafodd yng nghymdeithas enwog …
Dafydd ap Gwilym. Efe oedd ysgrifennydd y Gymdeithas pan ddathlwyd ei
Jiwbili yn 1935 … Ymhlith ei gyfeillion agosaf yr oedd cyd-letywr ag ef am
dymor, sef Harri Williams, athro hoff yn y Coleg Diwinyddol yn Aberystwyth
yn awr, a J. R. Jones a gafodd ddylanwad mor fawr cyn ei farw yn llawer rhy
gynnar.'

Gwynfor Evans, Pennar Davies

34

34. Gwynfor gyda'i fam Catherine ar ddydd ei raddio yn Rhydychen yn 1936.

'Un o'r darnau cyntaf o waith Gwynfor a gyhoeddwyd oedd llythyr o Rydychen i'w gynnwys yng nghylchgrawn ei hen ysgol ramadeg … Mynegwyd ei weledigaeth genedlgarol yn y llythyr hwn ac ail gyhoeddwyd cryn dipyn ohono yn y *Western Mail.*'

Gwynfor Evans, Pennar Davies

35. Gwynfor yn Osieves yn 1936 gyda Ceridwen ei chwaer a'i fam a'i dad.

'Yr oedd Gwynfor yn gerddwr go fawr hefyd … Troes i ymddifyrru fel golffwr a hefyd i gerdded cefn gwlad Cymru, a thrwy hyn daeth yn gyfarwydd iawn â pharthau Ceredigion a gwaelodion Maldwyn yn ogystal â phob cwr a chornel o Fro Morgannwg … Yr oedd y byd i gyd o'i flaen, ond gwyddai mai yng Nghymru yr oedd ei waith mawr i fod.'

Gwynfor Evans, Pennar Davies

35

PRIODI A PHRIFIO'N ARWEINYDD

(Pennod 3)

36

36. 'Wedi gadael Rhydychen cymerodd swydd cyw-gyfreithiwr yng Nghaerdydd ond rhoes lawer o'i amser i'r achosion a bleidiai ... Tair prif thema oedd ganddo: heddwch byd, hawl Cymru i fyw a gwerth a chyfle'r Gristnogaeth.'

Gwynfor Evans, Pennar Davies

37. Kitchener Davies, Gwynfor, O. M. Roberts a Wynne Samuel yn y 1940au.

'Gwelwn effaith ddychrynllyd y dirwasgiad mewn cymoedd eraill, Taf a Rhymni, Rhondda a Chynon, pan awn yno i siarad dros y Blaid mewn cyrddau awyr-agored ... Weithiau tynnid eithaf torf ... Ymhlith ein cyd-areithwyr yn y Rhondda byddai Kitchener Davies a David Davies Tylorstown ... ymladdasai [Kitch] fwy nag un etholiad lleol yn enw'r Blaid ...'

Bywyd Cymro, Gwynfor Evans

37

38

38. Dan Evans yn ei wisg fel Dirprwy-faer Y Barri gyda Dudley Howe, ewythr Geoffrey Howe, yn 1938.

'Achosai ei weithgareddau, yn enwedig yn Y Barri, gryn letchwithrwydd i'w dad ar dro: byddai ei dad yn dod allan o gyfarfod Cyngor y Dref gyda'i gydgynghorwyr ac yn gweld ei fab yn traethu heresïau heddychol o lwyfan gambo ar y sgwâr.'

Gwynfor Evans, Pennar Davies

39/40. *Y Ddraig Goch*, Ionawr 1937, a'r *Ddraig Goch*, Gorffennaf 1937.

Yn Ionawr 1937 anfonodd ei erthygl gyntaf i'r *Ddraig Goch* ar sefydlu Gwersyll Sain Tathan – 'Nyni, y Blaid Genedlaethol, a ddylai arwain, uno ac ysbrydoli y Cymry sydd yn rhwystro rhyfel; a Chymru a ddylai arwain Prydain,' meddai. Yn gyson, cyfrannodd Gwynfor erthyglau a datganiadau manwl a swmpus yn ddi-fwlch i'r *Ddraig Goch* a'r *Welsh Nation* am yr hanner can mlynedd nesaf.

'Y flwyddyn cynt ... 1937, euthum i'r Bala i'm Cynhadledd ac Ysgol Haf cyntaf. Cynigiais benderfyniad yno hefyd; y tro hwn yn galw am roi safle swyddogol i'r iaith Gymraeg ... Gyda Dafydd Jenkins yn drefnydd hynod o effeithiol iddi casglodd 400,000 o enwau cyn i'r rhyfel roi pen ar y gwaith.'

Bywyd Cymro, Gwynfor Evans

39

40

41

41. Gweithwyr y Tai Gerddi yn 1967: Phil Davies, Maggie Davies, Emrys Thomas, Bessie Evans, Bertie Williams, Nellie Thomas a John Williams.

'Yn 1939 gwnaeth benderfyniad o'r pwys mwyaf iddo ei hun ac i Gymru ... Wedi cael rhyddhad diamod o wasanaeth milwrol bu'n rhaid iddo ystyried ei ddyfodol.'

Gwynfor Evans, Pennar Davies

42

42. Gweithwyr y Tai Gerddi yn 1974.

'Crewyd cwmni teuluol gan fy nhad, a gododd dai gerddi ar dir Wernellyn, fferm a brynasai yn Llangadog saith mlynedd ynghynt. Ac yn y tŷ fferm y bûm i'n byw ... Ymadrodd Cwm Tawe am dai gwydr yw 'tai gerddi', a hwnnw a welid ar gloriau basgedi ein cynnyrch ... Mwynheais y gwaith ynddyn nhw er nad oeddwn wedi tyfu cymaint â chabatsen o'r blaen. Roedd yn fwy pleserus am fod gan ddau o'm cydweithwyr, Bertie Williams a Gwilym Edwards, leisiau ardderchog – Bertie yn denor a Gwilym yn fariton. Byddai sain cerdd a chân yn llenwi'r tai gerddi am oriau ben bwygilydd, a phan ddeuai merched atom yn yr haf caem gôr cymysg gyda'r gorau!'

Bywyd Cymro, Gwynfor Evans

43

44

45

44. Gwynfor, Rhiannon a'i rhieni, Dan a Lys Thomas, yn Wernellyn yn dilyn y briodas, Mawrth 1941.

45. Teuluoedd Gwynfor a Rhiannon ar ddydd eu priodas ar Ddydd Gŵyl Ddewi, 1941.

43. '... Rhiannon, a welais gyntaf yn ei chartref yng Nghaerdydd y gwanwyn cyn y rhyfel. 'Uwchlyn' oedd enw'r tŷ am fod Llyn y Rhath o'i flaen ac am mai yng Nghwm Cynllwyd ger Llanuwchllyn y ganed Mrs Thomas. Waeth i mi gyfaddef i'm calon golli curiad pan ddaeth Rhiannon i mewn i'r ystafell. Pan welais hi ddeufis wedyn ynghanol harddwch dydd o haf yn Islaw'r Dref a ffrog fach ysgafn iawn a byr amdani – roedd y boi o dref Y Barri yn ŵr colledig!'

Bywyd Cymro, Gwynfor Evans

'Merch oedd hi i un o gynrychiolwyr hynotaf radicaliaeth Cymru yn y ganrif hon, Dan Thomas o Ynys Môn (ŵyr i Weirydd ap Rhys) a'i wraig gyntaf, mam Rhiannon, un o Gwmcynllwyd, wedi gweithio ym mhlaid heddwch gyda'i gŵr a George M. Ll. Davies cyn i Gwynfor ymuno â hwy ... Amlwg i Rhiannon etifeddu'n gyflawn serchowgrwydd croesawgar ei rhieni. Brawd iddi hi yw'r Prifathro Dewi Prys Thomas, y pensaer hyfedr a ymhyfryda'n dreiddgar yn y celfyddydau cain.'

Gwynfor Evans, Pennar Davies

'Priodasant ar Ddydd Gŵyl Ddewi 1941 a threulio pedwar diwrnod o fis mêl yn Nhy'n Llidiart, Islaw'r Dre, ar lethrau Cader Idris ... Os bu'r Nef erioed yn trefnu priodasau mae'n sicr iddi gael hwyl wrth lunio hon ... Ac ni ellir gorbrisio cyfraniad Rhiannon Evans at weithgarwch ei gŵr.'

Gwynfor Evans, Pennar Davies

'Priodwyd Gwynfor a Rhiannon ... ar Ddydd Gŵyl Ddewi, 1941, mewn seremoni emosiynol. Dridiau cyn y briodas, glaniodd bom o fewn dau ganllath i gartref Rhiannon ym Mharc y Rhath gan chwalu'r holl ffenestri blaen a thaenu gwydr dros anrhegion priodas y ddau. Ar fore'r briodas hefyd, deffrôdd de Cymru i'r galanastra cyfarwydd: dinistr a marwolaeth ...'

Gwynfor: Rhag Pob Brad, Rhys Evans, 2005

46

47

48

46. Gwynfor, Rhiannon a Dan Thomas, gyda Brian a Ruth Evans, plant Idris, brawd Dan, a oedd yn weinidog yn Llundain, sef cefnder a chyfnither i Gwynfor. Daeth y plant i fyw i Wernellyn fel ifaciwîs adeg y rhyfel.

47. Gwynfor, ei dad a'i frawd Alcwyn a'i Wncwl Idris yn Wernellyn yn 1941.

'Buasai'n ormod i mi ddisgwyl cael cydymdeimlad pawb, yn arbennig gan i mi lanio yn Llangadog ddechrau'r rhyfel. Roedd yno leiafrif gwrthwynebus iawn. Y syndod yw fod cynifer o bobl wedi bod mor oddefgar a charedig tuag at greadur mor eithafol ei syniadau.'

Bywyd Cymro, Gwynfor Evans

48. Gwynfor gyda'r ddau grwt cyntaf-anedig – Alcwyn Deiniol a Dafydd Prys.

49

49. Teulu Wernellyn gydag Yann Fouérè (ar y dde), un o arweinwyr cenedlaetholwyr Llydaw a oedd dan ddedfryd o farwolaeth wedi'r Ail Ryfel Byd. Bu nifer ohonynt yn aros yn Wernellyn. Yn y llun hefyd mae cyfeillion o Iwerddon; yn y wlad honno y cawsant loches.

50. Protest Llyn y Fan, Calan 1947, wrth y llyn.

50

51

51. 'Buaswn i ar Bwyllgor Gwaith y Blaid oddi ar 1937 ... Mae gennyf reswm dros gofio Cynhadledd Caernarfon [yn 1943] oherwydd yno y deuthum yn Is-lywydd y Blaid ... Pwyswyd arnaf i dderbyn y Llywyddiaeth ond ni allwn, yn bennaf o achos sefyllfa fy nhad a ddioddefasai'n fawr o'm hachos i ... Erbyn Cynhadledd Llangollen yn 1945, a gynhaliwyd bum diwrnod cyn gollwng y bom ar Hiroshima, roedd y Blaid wedi ymladd saith sedd mewn etholiad cyffredinol. Yn nhref yr Eisteddfod Gydwladol ar y dydd cyntaf o Awst, fe'm hetholwyd yn Llywydd y Blaid.'

Bywyd Cymro, Gwynfor Evans

Yn 32 mlwydd oed daeth Gwynfor yn Llywydd Plaid Cymru ac fe gariodd y cyfrifoldeb hwnnw am 36 mlynedd nes ymddeol yn 1981.

'Cynnydd y Blaid o hynny hyd heddiw yw'r deyrnged uchaf iddo ef a'i arweiniad, ac ni bu ball ar y clod dyladwy a roddwyd iddo ar hyd y blynyddoedd gan gyfeillion a gwrthwynebwyr. Gwynfor sy'n gyfrifol am gynnydd a llwyddiant Plaid Cymru.'

Tros Gymru, J. E. Jones, 1970

52. Arweinwyr Plaid Cymru'n trafod ymgyrch yr Etholiad Cyffredinol yn 1945: Wynne Samuel, Gwynfor Evans, Dr Robert McIntyre o'r S.N.P., yr Athro J. E. Daniel, J. E. Jones a Marion Eames. Ymladdodd Gwynfor ei etholiad seneddol cyntaf ym Meirionnydd yn 1945 gan ennill 2448 pleidlais.

52

'Wedi ei ethol yn Llywydd y Blaid yn 1945 ymroes Gwynfor Evans i'w harwain a'i gwasanaethu a'i gwneud o hyn allan yn brif gyfrwng ei weithgarwch ... Yr oedd ganddo ei gyfrifoldebau yn ei gartref ac yn ei amaeth a'i fasnach ... ac ar yr un pryd ymgyrchu dros y Blaid a thros achosion Cymreig eraill, gyda'r fath drylwyredd ac ymdynghediad nes peri i'w gydweithwyr ryfeddu ...'

Gwynfor Evans, Pennar Davies

53

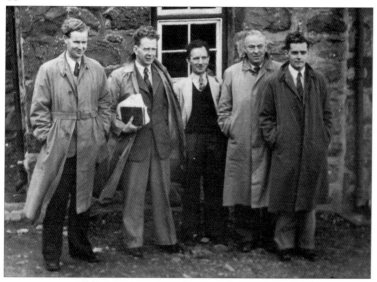

54

53. Ysgol Haf Plaid Cymru yn 1948 gyda Gwynfor, J. E. Jones, Kitchener Davies, Dan Thomas a Wynne Samuel. Etholwyd Gwynfor yn aelod o Bwyllgor Sefydlog Urdd y Graddedigion o Lys y Brifysgol ac o Gyngor Undeb yr Annibynwyr yn 1947.

54. John Thomas, Llanddeusant, a Joseph Evans, Gwynfe, ar y daith brotest i Lyn y Fan ar ddydd Calan 1947.

'Pan es i fyw i Langadog yr unig aelod o'r Blaid y gallwn ei ddarganfod rhwng Caerfyrddin a Rhandir-mwyn oedd John Thomas, Pont Crynfe, Llanddeusant ...'

Bywyd Cymro, Gwynfor Evans

55

55. John Jones, Brynllin, a Gomer Roberts, Brongat, dau ffermwr y bygythid eu tir gan y Swyddfa Ryfel, yn cymryd rhan gyda Gwynfor Evans, J. Morgan Jones a Gwenfron Hughes yn y cyfarfod protest mawr a gynhaliwyd yn Nolgellau, Medi 11, 1948, i amddiffyn tir Cymru.

'... Bu'n Llywydd yn Eisteddfod Genedlaethol Bae Colwyn [yn 1947], yn Ysgrifennydd Cymreig y Gyngres Geltaidd a gyfarfu yn Nulyn ac yn gyd-siaradwr â De Valéra ... yng Nghaerdydd. Yr oedd yn barod iawn i ddadlau ei achos – â Hopkin Morris yn 1949, â H. P. Marquand yn 1950 ac ag Iorwerth Thomas, A.S., ar y radio yn 1951.'

Gwynfor Evans, Pennar Davies

56. Gwynfor yn annerch yn Llandrindod yn 1950.

'Bu yn eu bwriad feddiannu rhan helaeth o Randir-mwyn ond llwyddwyd i atal hyn (1950). Yr oedd Blaenau Tywi hefyd mewn perygl ... Bu'n fawr ei ddylanwad mewn cyfarfod yn Llanymddyfri ym mis Tachwedd 1949.'

Gwynfor Evans, Pennar Davies

'Cefais dystysgrif liwgar gan y ffermwyr yn tystio i'r 'deep gratitude they owe to Gwynfor Evans' ...'

Bywyd Cymro, Gwynfor Evans

56

57

57. Gwynfor ar Bont Caerfyrddin yn 1974 gyda Neuadd y Sir yn y cefndir. Bu'n gynghorydd sir am 25 o flynyddoedd. Etholwyd Gwynfor yn aelod o Gyngor Sir Caerfyrddin ym Mawrth 1949, ar ôl methu o un bleidlais dair blynedd ynghynt!

58. Gwynfor S. Evans, y Betws, Rhydaman, ynghyd â Gwynfor Evans, oedd y ddau genedlaetholwr ar Gyngor Sir Caerfyrddin.

'Achoswyd sefyllfa anghyffredin o ddiddorol gan etholiad sirol 1958. Yn hwnnw etholwyd 29 aelod o'r Blaid Lafur, 29 Independiad, a dau Genedlaetholwr. I ychwanegu at y diddordeb yr oedd gan y ddau Genedlaetholwr yr un enw ... Ni'n dau a ddaliai'r fantol.'

Bywyd Cymro, Gwynfor Evans

58

59. Gwynfor gyda Dewi Watcyn Powell a J. E. Jones. Pan lanwodd Gwynfor S. Evans, y Betws, y ffurflenni enwebu yn Gymraeg wrth sefyll etholiad sirol yn Ebrill 1958, fe'u gwrthodwyd gan y swyddog etholiad.

'Penderfynasom ymladd yr achos yn yr Uchel Lys yn Llundain ... Ein bargyfreithiwr oedd Dewi Watcyn Powell ... Dadleuodd Dewi gyda medrusrwydd anghyffredin ac enillwyd yr achos ... Eithr canlyniad pwysicaf yr achos oedd sefydlu Pwyllgor Hughes Parry yn 1963 i ymchwilio i safle cyfreithiol yr iaith Gymraeg.'

Bywyd Cymro, Gwynfor Evans

59

60

60. Rali Senedd i Gymru, Blaenau Ffestiniog, 1950.

'Ym Machynlleth, ar ddechrau mis Hydref 1949, trefnwyd un o ralïau mwyaf uchelgeisiol Plaid Cymru erioed ... Daeth pedair mil o bobl ynghyd er mwyn galw am senedd ... Yn goron ar y diwrnod, cafwyd perfformiad gorchestol gan Gwynfor. Wedi'i araith, barnodd un gohebydd gorganmolus mai Gwynfor, nid Aneurin Bevan, a haeddai wisgo mantell areithiwr gorau Cymru.'

Gwynfor: Rhag Pob Brad, Rhys Evans

61. Gwynfor, J. E. Jones, W. R. P. George ac eraill adeg Rali Blaenau Ffestiniog, 1950.

'Darganfu ... werth y rali i ennyn brwdfrydedd cefnogwyr y Blaid ac i ddangos i bawb fod grym gwleidyddol newydd yn ymegnïo o ddifrif yng Nghymru. Cynhaliwyd y rali gyntaf ym Machynlleth, Hydref 1, 1949, gyda gorymdaith at Hen Senedd-dy Glyndŵr, dull addas i gychwyn mudiad newydd, Ymgyrch Senedd i Gymru. Dilynwyd gan ralïau eraill ...'

Gwynfor Evans, Pennar Davies

61

62

63

64

62/63. Rali Senedd i Gymru, Caerdydd, 1953.

64. Wynne Samuel yn annerch y gynulleidfa yn rali'r Ymgyrch dros Senedd yng Ngerddi Sophia, Caerdydd, 1953.

'Y fwyaf o'r ralïau dros senedd oedd honno yng Ngerddi Sophia yng Nghaerdydd yn 1953 ... fe gasglwyd yn y diwedd yn agos i chwarter miliwn o enwau wrth y ddeiseb a gyflwynwyd i Dŷ'r Cyffredin ... yr oedd yr Ymgyrch wedi peri i ddegau o filoedd feddwl am Gymru fel cenedl, a deffrôdd mewn llawer yr argyhoeddiad y dylai fod yn genedl ymreolus.'

Bywyd Cymro, Gwynfor Evans

65

66

65. Safodd Gwynfor yn is-etholiad Aberdâr yn 1954 gan ddod yn ail ac ennill 16% o'r bleidlais. Gwynfor y tu allan i swyddfa'r ymgyrch gyda Lisa Lloyd a J. E. Jones.

66. Rali Sgwâr Trafalgar 1956, gyda Phlaid Cymru a Phlaid y Common-wealth a'r S.N.P.

67

67. Gwynfor gyda'i weithwyr ym Meirionnydd adeg etholiad cyffredinol 1959.

O'r chwith i'r dde: W. D. Williams, Gwenan Meirion Jones, Nia Meirion Jones, Jinnie Jones (gwraig Meirion Jones), Jessie Roberts (priod y Parchedig John Roberts), Gwen Roberts ei merch, Gwynfor, Ifor Owen, Meirion Jones, Dafydd Iwan Jones a Huw Ceredig Jones.

'Ni chawn groeso cynhesach yn unman ym Meirion nag yn Abergeirw ... Nhw a gâi'r fraint o gynnal cwrdd ola'r noson ... byddem oll yn eistedd i bryd o fwyd cyn ymadael. Gan hynny byddai'n hanner nos arnaf yn ymadael ag ysgol Abergeirw.'

Bywyd Cymro, Gwynfor Evans

Safodd Gwynfor fel ymgeisydd seneddol ym Meirionnydd yn 1945, 1950, 1955 ac 1959.

68

I Rhiannon Evans

Ni raid gofyn ond unwaith iddi hi
o hyd, cyn dod afiaith
y Rhiannon hon ar waith,
yn Rhiannon i'r heniaith.

Tudur Dylan Jones

TEULU TALAR WEN

(Pennod 4)

68. Symudodd y teulu i'r Dalar Wen newydd yn 1953.

'Anrheg briodas hael fy nhad oedd y Dalar Wen, wedi ei gohirio am bymtheng mlynedd. Os 'nhad oedd piau'r rhodd, i Dewi Prys [brawd Rhiannon] y mae priodoli ei harddwch. Ef a'i cynlluniodd … y mae popeth yng ngwneuthuriad y Dalar Wen wedi'i brynu yng Nghymru – llechi'r to o Arfon, y bricie o Gynghordy, fframiau'r ffenestri o Gasnewydd, y gwydr o Abertawe, y grisiau llechen o'r Berwyn, y coed o'r Barri, ac ati; ac aelodau'r Blaid o Abercwmboi oedd yr adeiladwyr.'

Bywyd Cymro, Gwynfor Evans

69

69. Gwynfor a Rhiannon gyda'r plant y tu allan i'r Dalar Wen yn 1955. Mae Dafydd Prys ac Alcwyn Deiniol yn sefyll. Yna, Meinir Ceridwen, Rhiannon, Branwen Eluned a Gwynfor a Guto Prys yn eistedd gyda Meleri Mair yn y tu blaen. Nid oedd Rhys Dyrfal, y 'cyw melyn olaf', wedi cyrraedd.

'Magwyd yn y cartref hwn nythaid o Gymry braf … Clywais Gwynfor yn cael ei holi gan newyddiadurwr yn 1956 … ac yn y cyfweliad daeth yn hysbys mai hoff ddywediad Beiblaidd Gwynfor oedd "Ffrwythwch ac amlhewch a llenwch y ddaear".'

Gwynfor Evans, Pennar Davies

70

70. The Cadogian Philharmonic Society, neu Gôr Gravell fel y'i gelwid yn lleol, yn 1951. Mae W. J. Gravell yn y rhes flaen yn ogystal â Branwen (ail o'r chwith) a Meinir (ar y dde eithaf). Rhiannon yw'r drydedd o'r chwith yn yr ail res.

'Cerddoriaeth oedd calon bywyd diwylliadol Llangadog. Ei ogoniant pennaf oedd y côr y bu Rhiannon yn ysgrifennydd iddo am saith mlynedd ar hugain. Canai hwn y gweithiau mawr bron i gyd, gyda'i gerddorfa ei hun.'

Bywyd Cymro, Gwynfor Evans

71. Parti'r Ddraig Goch yn 1958.

Rhes gefn: Aneurin Williams, Rosie Williams, Hubert Davies, Sali Perkins, Geraint James.
Ail res: Ieuan Thomas, Beryl Thomas, Dilwen Davies, Marian Davies, Myra James, Nancy Thomas a Henry John Williams.
Rhes flaen; Jean Stancer, Ina Lake, Dorothy Dolben, Rhiannon Gwynfor a Laura Lloyd Gwynne.

'Sefydlwyd gan Dorothy Dolben ... Fel cyn-aelod o Barti Telynores Eryri roedd ganddi brofiad a weldiodd ynghyd ugain neu fwy o ieuenctid talentog y cylch ...'

Bywyd Cymro, Gwynfor Evans

71

72

73. Gwynfor a'i frawd Alcwyn yn cael hwyl gyda'r plant yn Y Barri yn 1960.

'Gallaf ei weld yn awr yn llygad fy nghof yn paratoi dweud rhywbeth doniol neu i chwarae rhyw dric; nid oedd yn bosib iddo gwato'i fwriad – byddai pob rhan o'i wyneb yn hollol syth, ond ei lygaid yn disgleirio'n llawn direidi. Byddai fy mam yn dechrau chwerthin dim ond o weld ei wyneb cyn iddo ddweud dim a byddai'r ddau wedyn yn rholio chwerthin heb fod neb arall yn deall y jôc.'

'Gwynfor fy Nhad', Meinir Ffransis,
Geiriau Gwynfor (Golygydd: Peter Hughes Griffiths), 2006

72. Teulu'r Dalar Wen yn 1964. Yn sefyll y mae Alcwyn, Dafydd, Gwynfor a Branwen, a Meleri, Rhiannon, Rhys Dyrfal, Guto a Meinir yn eistedd.

'Magwyd yn y cartref hwn nythaid o Gymry braf ... Mynnodd Rhiannon a Gwynfor Evans barchu eu plant a pharchu eu hamrywiaeth ... Cyflwynwyd gwerthoedd, er hynny, nid trwy athrawiaethu ffurfiol a deddfol ond trwy ymddygiad a chyngor a rhin personoliaeth ... Cymerodd Talar Wen eisoes ei le fel un o 'gartrefi Cymru'.'

Gwynfor Evans, Pennar Davies

73

74

74. Y teulu'n cael hwyl wrth wisgo a dynwared.

75. Gwynfor y wicedwr yn chwarae gyda'r plant yn y Dalar Wen yn 1971.

75

76

76. Gwynfor gyda'r teulu yn ei ganlyn yn dringo'r Garn Goch heb fod ymhell o'r Dalar Wen.

77. Dathlu Priodas Aur Dan a Catherine Evans gyda'r teulu yn Wernellyn, 1961.

> **Gwynfor**
>
> Dy rinwedd, dy arweiniad – yn gadarn
>   Gydol ein deffroad,
>   A bloedd dy argyhoeddiad
>   A'n geilw oll dros Gymru'n gwlad.
>
> *Dafydd Iwan*

77

78

78. Y teulu yn dathlu 50 mlynedd sefydlu Siop Dan Evans yn 1957. Yn y llun mae Alcwyn, Gwynfor, Tudor (gŵr Ceridwen), Llywela (gwraig Alcwyn), Catherine a Dan Evans, Ceridwen a Rhiannon.

79. Gwynfor wrth y piano yn y Dalar Wen.

'Dysgodd ganu'r piano yn fedrus a daeth i ymhyfrydu yn yr hen alawon, a gwn fod hyn yn elfen bwysig yn ei ymdeimlad gwladgarol. Ac yr oedd yr hen donau yn y capel yr un mor werthfawr ac yn ei atgoffa o hyd am dreftadaeth yr oedd holl hanes Cymru yn allwedd iddi.'

Gwynfor Evans, Pennar Davies

80. Gwynfor yn ei stydi yn y Dalar Wen yn 1958.

' Ni fyddai byth yn dweud wrthym ni na'n plant 'Cer i ffwrdd, rwy'n rhy brysur,' ac ni chododd erioed fys atom i'n ceryddu ... Roedd ei amynedd gyda phlant yn ddi-ben-draw ...

79

Fe wn ein bod ni, blant ac wyrion i gyd, yn diolch am y fraint o gael rhieni mor annwyl a chariadus, ond gwyddem hefyd y byddai rhaid i ni, bob amser, rannu 'Gwynfor' gyda gweddill ein cyd-genedl, a diolch am hynny.'

'Gwynfor fy Nhad', Meinir Ffransis

80

81

81. Beirdd o Rwsia gyda Meic Stephens yn ymweld â'r Dalar Wen yn 1971.

'Roedd drws Talar Wen bob amser yn agored i unrhyw un alw draw i drafod unrhyw broblem. Nid oedd yn ceisio celu ei rif ffôn na'i gyfeiriad hyd yn oed ar ôl cael ei ethol i'r Senedd; ar y penwythnosau byddai pobl yn galw i'w weld a byddai'n dod nôl o'i wyliau'n gynnar yn aml er mwyn cwrdd â rhywun oedd â phroblem.'

'Gwynfor fy Nhad', Meinir Ffransis

82. Anti Jini wedi dod i'r Dalar Wen i weld ei hwyrion ym Mhencarreg yn 1986. Hi sy'n gwisgo'r sbectol dywyll.

'Byddai'n esgus bod ganddo hanner chwaer o America yn galw i'w weld pan fyddem ni'n mynd draw i Dalar Wen. Anti Jini oedd ei henw ond fy nhad fyddai wedi gwisgo dillad fy mam a balŵns anferth o dan ei siwmper yn unswydd i wneud i'r plant chwerthin.'

'Gwynfor fy Nhad', Meinir Ffransis

82

83

84

84. Y teulu yn y Dalar Wen, Pencarreg, yn 1989.

83. Gwynfor a Rhiannon a'u hwyrion yn 1978.

'I ni, roedd 'dadi' neu 'tadcu' yn glamp o ddyn cynnes, llawn hiwmor – yn dynnwr coes heb ei ail ac wrth ei fodd yn chwarae gyda ni blant ... a gyda'r wyrion, yn arbennig felly ar ôl iddo hanner ymddeol o fywyd cyhoeddus.'

'Gwynfor fy Nhad', Meinir Ffransis

85. Alcwyn a Gwynfor yn dychwelyd am dro i Wernellyn yn 1997.

85

86

86. Y pedair cenhedlaeth yn 1998: Lleucu, Meinir, Gwynfor a Rhiannon, a Rhiannon Siôn ym mreichiau Gwynfor.

87

SAVE
CWM TRYWERYN
FOR
WALES
BY GWYNFOR EVANS
ONE SHILLING

88/89. Gorymdaith yn Rali'r Bala, Mehefin 29, 1956.

'Nid cynt y cododd Mr Gwynfor Evans i siarad nag y cododd y miloedd yn y babell fawr i'w groesawu a rhoddi iddo gymeradwyaeth hir. "Gall yr argyfwng hwn fod yn arwydd o ddirywiad cenedl, neu, fe all fod yn goelcerth i roi golau i'r blaid hon ac i'r genedl," meddai Gwynfor.'

Y Ddraig Goch, Hydref 1956

'Ac eithrio'r ymgyrch dros Senedd i Gymru, Tryweryn oedd y bwysicaf o'n holl ymgyrchoedd.'

Bywyd Cymro, Gwynfor Evans

COFIWCH DRYWERYN

(Pennod 5)

88

89

'Aeth Tudur Jones, Dafydd Roberts Caefadog a minnau i gyfarfod o Gyngor Lerpwl i brotestio yn erbyn bwriad y ddinas … pan gyrhaeddwyd adroddiad perthnasol y pwyllgor dŵr neidiodd Tudur a Dafydd Roberts a finnau ar ein traed a dechreuais annerch y cyngor trwy'r gadair … Rai wythnosau'n ddiweddarach cefais annerch y cyngor am chwarter awr ac ateb cwestiynau.'

Bywyd Cymro, Gwynfor Evans

90

90. Tudur Jones, Gwynfor Evans a Dafydd Roberts ar Dachwedd 7, 1956.

91

91. Rali Capel Celyn.

93

92

92. Y cefnogwyr yn cyrraedd Lerpwl ar gyfer y brotest ar Dachwedd 21, 1956, gyda Gwynfor a'r Parchedig Gerallt Jones ac eraill.

'Gorymdeithiodd holl drigolion y rhan fygythiedig o Gwm Tryweryn trwy strydoedd Lerpwl. Yr unig un absennol y diwrnod hwnnw oedd baban dwy flwydd oed.'

Bywyd Cymro, Gwynfor Evans

93. Gwynfor yn arwain yr orymdaith trwy strydoedd Lerpwl ar Dachwedd 21, 1956.

'Unwaith eto, ym mater Tryweryn, y mae Cymru wedi uno i gyflwyno ei safbwynt cenedlaethol i'r senedd hon ac unwaith eto fe'i diystyrwyd mewn modd haerllug.'

Rhagom i Ryddid, Gwynfor Evans, 1964

94

94. Aelodau o Gangen Plaid Cymru, Coleg y Brifysgol, Aberystwyth, y tu allan i Lys Ynadon Y Bala yn 1962 wedi achos cyntaf Tryweryn yng nghwmni Gwynfor Evans.

Yn y llun mae Peter Meazy, Dave Pritchard a Dai Walters (gweithredwyr). Mae Gareth Roberts y tu ôl i Gwynfor, yna Geraint Jones, Donald Evans a Dyfrig Thomas.

95. Elwyn Roberts, Gwynfor Evans a D. J. Williams yn y brotest fawr ar ddydd agoriad swyddogol Llyn Tryweryn ar Hydref 21, 1965.

'Ffrwydrodd teimladau'r cenedlaetholwyr yn agoriad swyddogol Llyn Celyn ... pan aeth y mawrion i lawr i'r llwyfan ... rhuthrodd y dorf i lawr y llethr ato o dan arweiniad Chris Rees a malu'r llwyfan a'r babell yn rhacs.'

Bywyd Cymro, Gwynfor Evans

96. Y dorf yn protestio ar ddiwrnod yr agoriad swyddogol.

'Gwnaeth hyn argraff barhaol mewn achos o bwysigrwydd mawr i Gymru lle'r oedd y Cymry mor unol ag y bydd cenedl byth. Anwybyddwyd eu barn yn llwyr ... Dinoethwyd natur democratiaeth Cymru.'

Bywyd Cymro, Gwynfor Evans

95

96

97

97. Jennie Eirian Davies, a safodd gyntaf dros Blaid Cymru yn Etholaeth Caerfyrddin yn 1955 a 1957.

ENNILL SIR GÂR

(Pennod 6)

98

4. Home Rule means :

   (i)   Developing industry in Wales and locating it.
   (ii) Safeguarding the interests of the small farmer.
   (iii) Extending modern amenities throughout our land.
   (iv) Less Taxes.
   (v) Immediate attention and justice for local problems.
   (vi) Higher Pensions.
   (vii) Freedom and Co-operation.

Dyma'r Blaid a darddodd o fywyd Cymru a'i pholisi'n cael ei lunio yng Nghymru er mwyn Cymru. Dyma'r unig ffordd i ddatrys problemau'n gwlad.

Cefnogwch Ymgeisydd Poblogaidd Plaid Cymru

THE CANDIDATE WHO REPRESENTS HER PARTY

JENNIE EIRIAN DAVIES

YR YMGEISYDD UNPLYG

DROS SIR GAR, A CHYMRU

98. Taflen etholiadol Jennie Eirian Davies.

'Ymladdodd Jennie ei hetholiad seneddol cyntaf yn 1955. Dyddiau cyffrous oedd y rheini. Am y tro cyntaf erioed roedd y Blaid Genedlaethol yn mentro ar etholaeth Caerfyrddin. Ond, cafodd Jennie gyfarfodydd ysgubol, a bu'n rhaid i'r papurau roi sylw iddi. Yn ystod ei hymgyrch pwysleisiai hi'r egwyddorion moesol, a thanlinellai hefyd fygythiad ynni atomig i'r diwydiant glo. Roedd ei brwdfrydedd yn ddi-ball ...

Pwy fyth all fesur y gymwynas a wnaeth Jennie i'w chenedl yn etholiad 1955?

Cyn pen dwy flynedd roedd Syr Rhys Hopkin Morris wedi marw, a chafwyd is-etholiad yn Chwefror 1957. Bu ei hymgyrch yn farathon, ac mewn cyfnod byr o wythnosau anerchodd dros 220 o gyfarfodydd cyhoeddus mewn cyfandir o etholaeth ...

Llefarodd Jennie yn fwy proffwydol nag y sylweddolai'r lleill ohonom – "Y mae 2000 yn ychwaneg o bleidleisiau yn dangos y bydd y Blaid yn ennill y sedd hon ymhen deng mlynedd," meddai. Gwir oedd y gair o'i genau. Dylid ei rhestru fel un o'r rhai a gyfrannodd fwyaf i lwyddiant y Blaid yn y chwedegau. Ei hymroddiad diflino a'i dawn lachar hi yn y pumdegau, yn fwy na dim, a agorodd y drws i lwyddiant Gwynfor ym muddugoliaeth fawr Caerfyrddin yn nes ymlaen.'

Dewi Thomas, 'Jennie Eirian y Gwleidydd', *Cyfrol Deyrnged* 1985

99

99. Hywel Heilyn Roberts gyda Gwynfor Evans yn 1992.

'Ym 1959 Hywel Heilyn Roberts oedd yr ymgeisydd rhagorol ... y trobwynt yn hanes y pwyllgor etholaeth oedd penodiad Cyril yn ysgrifennydd; o hynny ymlaen datblygodd mewn nerth ac effeithiolrwydd a gwelwyd y ffrwyth yn y tri etholiad seneddol a ymladdwyd o fewn pedair blynedd imi ddod yn ymgeisydd. Cyril oedd fy nghynrychiolydd yn y rhain ... Ym 1964 yr ymleddais Gaerfyrddin am y tro cyntaf ... Trwy waith y cyngor sir daethwn yn bur adnabyddus ... Dyblwyd pleidlais y Blaid yn etholiad 1964 ... Yn etholiad cyffredinol Mawrth 1966 cawsom 7,500, y bleidlais fwyaf a gafodd y Blaid erioed.'

Bywyd Cymro, Gwynfor Evans

100

101

100. Cyril Jones oedd asiant Gwynfor yn etholiadau'r chwedegau.

101. Gwynfor wrth un o'r gorsafoedd pleidleisio yn etholiad Mawrth 1966.

'Ym 1964 yr ymleddais Gaerfyrddin am y tro cyntaf ... Buaswn trwy gydol y blynyddoedd yn annerch cymdeithasau diwylliannol a phob math o gymdeithasau a mudiadau eraill ar hyd ac ar led y sir, ac yn nhref Caerfyrddin ei hun.'

Bywyd Cymro, Gwynfor Evans

102

103

102. Taflen etholiad 1964: Gwynfor y tu allan i'r Dalar Wen gyda Dyffryn Tywi'n gefndir.

103. Cinio i Gwynfor yn y Llwyn Iorwg, Caerfyrddin, ar Fehefin 10, 1966, ar drothwy'r fuddugoliaeth fawr.

Y rhes flaen: Cyril Jones ac Anita ei wraig, D. J. Williams, Gwynfor a Rhiannon, Linfa Jones a Cissie Walters.
Yr ail res: Mrs Enid Ralphs, Jac Jones y Trysorydd gweithgar, Eirlys Ffowc Elis, Eddie Evans, Islwyn Ffowc Elis, Leslie Richards a Coslett Price.

104

104. Aelodau o Fudiad Ieuenctid Plaid Cymru, Caerfyrddin 1966.
Yn y blaen: Anthony Jenkins, Clive Rogers, Jeffrey Thomas, Islwyn
Ffowc Elis a Richard Hughes.
Yn y cefn: Geraint Thomas, Margaret Morgan a Siân Edwards.

'Bu brwdfrydedd ymhlith y cenedlaetholwyr o'r dechreuad ...
Ymgasglodd cwmni gwych o weithwyr o gwmpas Cyril Jones; rhai
ohonynt yn ddisgyblion chweched dosbarth ... Yn eu plith roedd
Geraint Thomas (Y Proff), Siân a Catrin Edwards, Tony Jenkins,
Yvonne Davies, Dai Lewis, John Lewis a Sharon Morgan ...
Arweiniwyd y ganfas ym mhlwyfi bryniog ein cylch ni gan aelodau'r
teulu, Alcwyn, Dafydd, Meleri, Guto, Meinir a Branwen. Gwnaeth
serchowgrwydd y gweithwyr ifainc hyn argraff ddofn.'

Bywyd Cymro, Gwynfor Evans

105

On Thursday, the 14th July

YOUR HAND CAN MAKE HISTORY

GWYNFOR EVANS | X

105/106. Taflenni'r is-
etholiad yn 1966.

'Cawsai Cyril Jones
gymorth J. E. Jones ac
Elwyn Roberts.
Cyfrannodd y taflenni
a'r hysbysebiadau
disglair a gyhoeddwyd
yn fawr tuag at y
llwyddiant ... Gwaith
Islwyn Ffowc Elis oedd y rhain ... a does dim amheuaeth na chyfrannodd ei waith
llenyddol yn fawr tuag at lwyddiant y Blaid yn yr is-etholiad.'

Bywyd Cymro, Gwynfor Evans

106

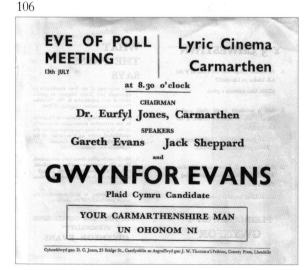

EVE OF POLL | Lyric Cinema
MEETING
13th JULY | Carmarthen
at 8.30 o'clock
CHAIRMAN
Dr. Eurfyl Jones, Carmarthen
SPEAKERS
Gareth Evans   Jack Sheppard
and
GWYNFOR EVANS
Plaid Cymru Candidate
YOUR CARMARTHENSHIRE MAN
UN OHONOM NI

Cyhoeddwyd gan D. C. Jones, 23 Bridge St., Caerfyrddin ac Argraffwyd gan J. W. Thomas a'i Feibion, County Press, Llandeilo

107

'Rywbeth wedi canol nos y noson honno awn i'r cownt gan groesi Sgwâr Nott ... Uwchlaw Guildhall Caerfyrddin daeth Elwyn Roberts tuag ataf. Roedd newydd ddod allan o'r cyfrif gyda'r newydd fy mod i mewn ... Ar ôl cyhoeddi'r canlyniad oddi mewn daeth y swyddog etholiad i'r galeri y tu allan i'w gyhoeddi i'r dyrfa a orlenwai sgwâr fawr y dref ... Pan welodd y dorf fy mod i'n dilyn nesaf ato aeth yn wyllt ... Am ddau o'r gloch y bore fe'm cariwyd ar ysgwyddau cefnogwyr i'r car i fynd adref.'

Bywyd Cymro,
Gwynfor Evans

107. Mr W. Thomas, y Swyddog Etholiadol, yn cyhoeddi'r canlyniad yn y Guildhall, Caerfyrddin.

O'r chwith i'r dde: Gwilym Prys Davies, Cyril Jones yn y cefndir, Gwynfor Evans, W. Thomas, Simon Day a D. Hywel Davies.

Canlyniad Is-Etholiad Caerfyrddin, Gorffennaf 14, 1966

Gwynfor Evans, Plaid Cymru	16,179	(39%)
Gwilym Prys Davies, Llafur	13,743	(33.1%)
D. Hywel Davies, Rhyddfrydwr	8,650	(20.8%)
Simon Day, Ceidwadwr	2,934	(7.1%)

Mwyafrif – 2,436

108

108/109. Gwynfor yn annerch y dorf o falconi'r Guildhall, Caerfyrddin, ar ôl cyhoeddi'r canlyniad.

> Wyt ti'n cofio Sgwâr Caerfyrddin
> Pan gododd Cymru'i phen,
> Llawenydd yn ein dagrau
> A Gwynfor yno'n ben,
>   Wyt ti'n cofio,
>   Nos y gwawrio?
> Daw, fe ddaw yr awr yn ôl i mi.
>
> Cân Dafydd Iwan, 'Daw, fe ddaw yr awr'

109

'Torrodd yr argae a throdd myth y gwaredwr yn realiti wrth i'r cenedlaetholwyr gofleidio buddugoliaeth syfrdanol. Ymdebygai'r sgwâr i fôr o ddathlu wrth i'r dorf, yn hen ac ifanc, gyfarch eu harwr. Yr unig un na chollodd ei ben y noson honno oedd Gwynfor, a'r eironi yw iddo brofi ofn parlysol wedi'r fuddugoliaeth – ofn o feddwl na fyddai'n deilwng o'r achlysur, ac ofn o feddwl am ei waith newydd fel Aelod Seneddol. Ond doedd dim troi yn ôl yn awr. Daeth Gwynfor i lawr o falconi Neuadd y Guildhall ac i ganol y miri gan weld cannoedd yn wylo'n hidl; roedd eraill yn bloeddio 'Gwynfor, Gwynfor' – enw'r mab darogan a oedd, yn eu tyb nhw, wedi arwain y genedl o'r gaethglud.'

Gwynfor: Rhag Pob Brad, Rhys Evans

110

110. Gwynfor yn cael ei gyfarch ar Sgwâr Llangadog y bore wedyn.

111. Gwynfor a Rhiannon yn cyfarch y bobl ar Sgwar Nott, Caerfyrddin, y bore wedyn.

Sir Gaerfyrddin

Ond, tydi, Shir Gâr, a gododd y genedlaethol wawr: tydi
  a wnaeth y gyntaf wyrth,

Ac am hynny
  Cydganwn emyn cenedlaethol Elfed
  Cyd-gitarwn a phopganu gyda Dafydd Iwan
Wrth orymdeithio yn fuddugoliaethus trwy ei phyrth.

Gwenallt

111

112

112. 'Your Hand Has Made History': y poster gwreiddiol wedi ei newid ar ôl y canlyniadau.

113

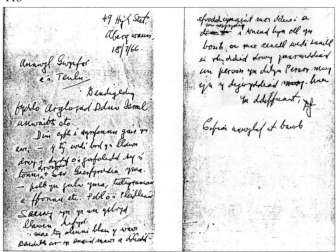

Cyfarchion Triwyr Penyberth

113. Dyma lythyr D. J. at Gwynfor:

Annwyl Gwynfor a'r teulu,

Bendigedig fyddo Arglwydd Israel unwaith eto.

Dim cyfle i sgrifennu gair yn awr – y tŷ wedi bod yn llawn drwy y dydd o'r gorfoledd sy'n tonni draw o Sir Gaerfyrddin yma, – pobl yn galw yma, telegramau a ffonau etc. Pobl o'r

pleidiau Seisnig yn yr un ysbryd llawen hefyd.

'Mae teg oleuni blaen y wawr' Bendith ar yr enaid mawr a ddioddefodd cymaint mor ddewr a mor gysegredig i wneud hyn oll yn bosib, ac mae cenedl wedi ennill ei rhyddid drwy ymarweddiad un person yn dilyn Person mwy yn y digwyddiad hwn.

Yn ddiffuant,

DJ

Cofion anwylaf at bawb.

114/115. Telegramau oddi wrth Saunders Lewis a Lewis Valentine.

114

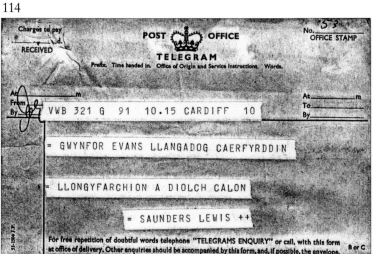

115

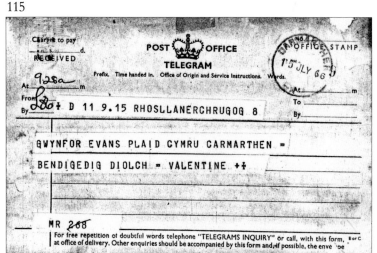

116

116. Gwynfor ar ei ffordd i mewn i Dŷ'r Cyffredin am y tro cyntaf.

117. Gorfoledd y dorf.

'Roedd yna olygfeydd anhygoel yn ei aros. Y tu allan i borth St Stephen's, ymgasglodd yn agos i fil o gefnogwyr mewn awyrgylch nid yn annhebyg i gwrdd diwygiad ... Ond roedd Gwynfor am fwynhau pob eiliad o'r achlysur ac, er mawr siom i'r heddlu, oedodd gan annerch ei gefnogwyr wrth sefyll ar risiau'r porth cyn camu i ganol ei fydysawd newydd.'

Gwynfor: Rhag Pob Brad, Rhys Evans

117

'Yr oedd yn briodol i'w ryfeddu mai Gwynfor ei hun, yr arweinydd ymroddedig hwn tros ein cenedl, a gafodd 'dorri trwodd' ac ennill yr etholiad cyntaf i Blaid Cymru, canys efe yn anad neb a adeiladodd y Blaid.'

Tros Gymru, J. E. Jones

118

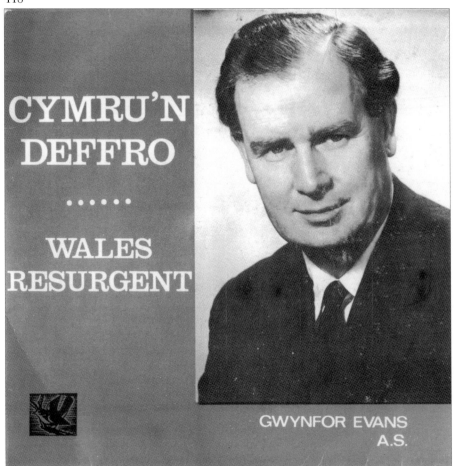

118. Yn dilyn ei ethol yn Aelod Seneddol, cyhoeddodd Gwasg y Dryw record o Gwynfor yn siarad yn y Gymraeg a'r Saesneg.

'Cymerwyd camau bras ymlaen tuag at adfer urddas a hunan-barch hen genedl a oedd wedi anghofio sefyll ar ei thraed ei hun ... Fydd pethau fyth yr un peth yng Nghymru wedi etholiad Sir Gaerfyrddin ar Orffennaf 14eg 1966.

Gadewch i ni'n awr ewyllysio bywyd llawn i'n gwlad a mynnu cael sefydliad sy'n creu bywyd cyflawn. Llywodraeth Gymreig yw'r sefydliad hanfodol.'

Y Record, *Cymru'n Deffro*, 1966

'Ni'm ganed i fod yn aelod seneddol nac yn wleidydd proffesiynol ... Cael fy ngyrru i bolitics a wnes i am mai yn y maes gwleidyddol y gweir pob penderfyniad sy'n effeithio ar y genedl Gymreig oll.

Wrth fy nhywys trwy'r ystafelloedd te, cyfeiriodd Emrys Hughes at y bwrdd Cymreig: "I wouldn't sit there if I were you," meddai, "your name is mud there."

... Ac eithrio Elystan Morgan nid oedd gennyf gyfaill ymhlith yr aelodau Cymreig ... Âi Goronwy Roberts heibio yn y coridor heb edrych arnaf ... Bu Michael Foot yn gyfeillgar o'r dechrau; fe'i cefais erioed yn ŵr bonheddig, cywir a chynnes ... Mae'n anodd i neb gofio neu ddychmygu'n awr pa mor fileinig y bu George Thomas ... Roedd hwnnw yn aruthr yn ei wrth-Gymreictod ac yn filain yn ei barodrwydd – siriol bob amser – i bastynu cenedlaetholwr yn ei ben a'i drywanu yn ei frest neu yn ei gefn. Ef oedd arswyd cenedlaetholdeb Cymreig a'r iaith Gymraeg.'

Bywyd Cymro, Gwynfor Evans

119

120

[Delweddau o ddyddiaduron ysgrifenedig â llaw]

119/120. Mae ei ddyddiaduron yn dangos yn glir y llwyth gwaith a gariai Gwynfor. Prin y gwrthodai unrhyw wahoddiad i siarad ac i genhadu dros yr hyn a oedd yn bwysig iddo er lles Cymru, heddwch byd a'i gyd-ddyn a Christ.

121. Siaced lwch *Black Paper on Wales 1967*.

'Gyda chymorth y Grŵp Ymchwil, daeth i'r casgliad mai'r dacteg orau fyddai iddo ymladd rhyfel *guerrilla* a gofyn cwestiynau dirifedi ynghylch cyflwr Cymru ... Byddai cwestiynau Gwynfor yn gyrru'r gwasanaeth sifil yn wallgo bost ... Erbyn diwedd y flwyddyn gyntaf, roedd wedi gofyn dros chwe chant o gwestiynau, a chyhoeddwyd yr atebion ar ffurf tair cyfrol – *Llyfrau Du Caerfyrddin*.'

Gwynfor: Rhag Pob Brad, Rhys Evans

121

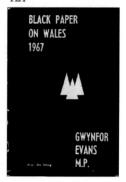

BLACK PAPER
ON WALES
1967

GWYNFOR
EVANS
M.P.

122. Gosod tystiolaeth Plaid Cymru gerbron y Comisiwn Brenhinol ar y Cyfansoddiad yn 1969: Chris Rees, Dewi Watcyn Powell, Gwynfor, Phil Williams a Dafydd Wigley.

123. Gwynfor yn ei wisg wen yn yr Orsedd yn Eisteddfod Genedlaethol Y Barri yn 1968.

124. Gwynfor yn brif westai ar ddiwrnod gwobrwyo Ysgol Gruffydd Jones, San Clêr, yn 1968.

122

123

124

125

126

125. Gwynfor a gafodd y fraint o droi'r trydan ymlaen ar y fferm olaf yn Sir Gaerfyrddin i gael ei chysylltu â thrydan yng Nghwrtycadno yn 1968.

126. Portread llun llinell o Gwynfor gan Alfred Janes, Abertawe, yn 1970.

I Gwynfor Evans

Rhoi inni dy arweiniad – a wnei di
Ers dydd dy etholiad,
Dy lais yw gobaith dy wlad,
Dy air di yw'r dyhead.

Tudur Dylan Jones

127

128

127. D. J. Williams yn agor Swyddfa Plaid Cymru yn 8 Heol Dŵr, Caerfyrddin, ar ddydd Calan 1970.

'Dyma ... fu gweithred gyhoeddus olaf D. J. Williams yn enw'r blaid y rhoes ei fywyd drosti; o fewn deuddydd i agor Penrhiw, bu farw yng Nghapel Rhydcymerau, gan adael Gwynfor yn gwbl ddiymadferth gan ddyfned y cyfeillgarwch rhyngddynt. Am dridiau, bu corff D. J. Williams yn gorffwys yn y Dalar Wen cyn ei gladdu, ac roedd y golled i Gwynfor yn enfawr.'

Gwynfor: Rhag Pob Brad, Rhys Evans

128. Gwynfor y tu allan i Swyddfa'r Ymgyrch yn yr Etholiad yn 1970.

'Ar 18 Mai, cyhoeddodd Harold Wilson y cynhelid yr etholiad cyffredinol ymhen union fis ond, ar y diwrnod pwysig hwnnw, roedd Gwynfor yn dal yn gaeth i'w wely ... Yn wyneb y fath sefyllfa enbyd o anffodus iddo, dewisodd Gwynfor anwybyddu cyngor ei feddygon ... Eto i gyd, roedd y sïon ynghylch ei salwch yn parhau. Roedd salwch Gwynfor hefyd yn golygu mai cwta dair wythnos oedd ganddo i atgoffa pobl Caerfyrddin o'r hyn a wnaethai drostynt yn ystod y pedair blynedd a fu.

Am y tro cyntaf fel Aelod Seneddol, rhoddwyd Gwynfor yn y glorian etholiadol ac fe'i cafwyd yn brin – nid am unrhyw reswm penodol ond o ganlyniad i glytwaith cymhleth o ffactorau. Mae'r esboniad hwnnw'n cynnwys yr FWA a Chymdeithas yr Iaith, yr Arwisgo a'r bomio.'

Gwynfor: Rhag Pob Brad, Rhys Evans

129

129. Gwynfor yn annerch ar lwyfan Eisteddfod Genedlaethol Rhydaman yn 1970 fel Llywydd y Dydd. Yn eistedd ar y chwith y tu ôl iddo mae D. O. Davies, cyfaill a chefnogwr brwd.

130. Rhiannon yn derbyn gwydrau yn rhodd gan Blaid Cymru Sir Gaerfyrddin oddi wrth Bernard Canning, Cadeirydd y Rhanbarth.

I Rhiannon Evans

Fe fu yn gefn i ni i gyd i'r eithaf
trwy waith ei hanwylyd;
bu hon yn rhoi bob ennyd
i deulu Cymru cyhyd.

Tudur Dylan Jones

130

131

132. Gwynfor yn derbyn ei Ddoethuriaeth Anrhydeddus gan Goleg Prifysgol Cymru, Aberystwyth, yn 1973. Yr Athro Geraint Gruffydd, a'i cyflwynodd iddo, sydd ar y chwith.

'Anrhydeddus Ganghellor. Cyflwynaf i chwi garwr heddwch heb gymrodedd, gwleidydd heb uchelgais bersonol, ac yng ngeiriau Bleddyn Fardd yn ei Awdl Farwnad fawr i Lywelyn yr Ail – 'Gŵr sydd dros Gymru, hy a'i henwaf'.'

Gwynfor Evans, Pennar Davies

131. Gyda Gwynfor Evans yn dathlu 25 mlynedd fel Llywydd, cyflwynodd Robyn Léwis, Is-lywydd Plaid Cymru, benddelw o Gwynfor iddo yng Nghynhadledd Plaid Cymru yn Aberystwyth ar Hydref 24, 1970.

'Cyflwynwyd i Gwynfor Evans gerflun, penddelw ohono gan Jonah Jones, ac wrth gyflwyno, dywedodd Robyn Léwis y byddai'r cerflun yn cael ei ddodi ryw ddiwrnod "... yn senedd-dy'r Gymru rydd ... Chi, a neb arall, a fu'n llysgennad dros Gymru gerbron y byd." Cyflwynwyd iddo hefyd gan Winifred Ewing ffon yn dwyn geiriau Gaeleg. 'Gwynfor Evans, bugail Cymru, cyfaill yr Alban'.'

Gwynfor Evans, Pennar Davies

132

133

I **Gwynfor Evans**

Onid dewr ei anturiaeth? – yn gadarn
Myn godi gweriniaeth;
Myn siarad dros dreftadaeth,
Myn waedu dros Gymru gaeth.

Trebor E. Roberts

133. Ymgyrchu ym Mart Caerfyrddin – etholiad seneddol 1974.

134. Gwynfor gyda'i gefnogwyr mewn noson ym Mrynaman.

134

135

136

135. Ennill eto yn 1974.

Gwynfor yn cyfarch y dorf, y tro hwn o falconi Neuadd Ddinesig San Pedr yn Sgwâr Nott, Caerfyrddin, yn dilyn ei fuddugoliaeth yn Hydref 1974.

'Gwireddwyd yr hyder hwnnw yn ystod oriau mân 11 Hydref 1974 wrth i dorf o dair mil gyrraedd Sgwâr Nott i glywed y canlyniad ... ac, am hanner awr wedi tri y bore, cyhoeddwyd Gwynfor yn fuddugol gyda 23,325 o bleidleisiau. Hon ... oedd yr unig sedd i Lafur ei cholli y noson honno ar draws y Deyrnas Unedig ...'

Gwynfor: Rhag Pob Brad, Rhys Evans

Canlyniad Etholiad Seneddol Caerfyrddin
Hydref 10 1974

Plaid Cymru	23,325
Llafur	19,685
Rhyddfrydwyr	5,693
Ceidwadwyr	2,962
Plaid Brydeinig	342

'Cawswn ymhell dros ddwywaith cyfanswm pleidleisiau'r Blaid trwy'r wlad yn etholiad 1951.'

Bywyd Cymro, Gwynfor Evans

136. Yn ôl i Lundain unwaith eto – ond gyda'r ddau Ddafydd y tro hwn. Cyfeillion a chefnogwyr yn cyd-deithio gyda Gwynfor ar y trên o Gaerfyrddin i Lundain yn dilyn buddugoliaeth Hydref 1974.

137

138

139

137. Cefnogwyr o bob rhan o Gymru yn Llundain yn croesawu Gwynfor a'r ddau Ddafydd i Dŷ'r Cyffredin.

138. Gwynfor Evans, Dafydd Wigley a Dafydd Elis Thomas ar eu ffordd i mewn i Dŷ'r Cyffredin yn Llundain.

'Yn Hydref [1974] cododd y ddau genedlaetholwr Cymreig i dri, a'r saith cenedlaetholwr Sgotaidd i un ar ddeg ... Dim ond tri o fwyafrif oedd gan y Llywodraeth dros y pleidiau eraill ... Dyna'r sefyllfa wleidyddol fwyaf gobeithiol y bûm ynddi erioed ... tyfu yn rym gwleidyddol digon mawr i orfodi'r Llywodraeth i ildio gradd o hunan-lywodraeth ... Byddai sefydlu cynulliad a etholid gan y bobl ... am y tro cyntaf yn ei hanes yn ddigwyddiad chwyldroadol ... Er prinned ei alluoedd, penderfynais mai ceisio sedd yng Nghynulliad Caerdydd a wnawn i ... gan y credwn fod modd gwneud mwy dros Gymru yng Nghaerdydd nag yn Llundain.'

Bywyd Cymro, Gwynfor Evans

139. Cartŵn o Gwynfor ar dudalen flaen *House Magazine* Tŷ'r Cyffredin, Chwefror 7-13, 1977, gyda'r geiriad 'Gwas y Werin – A Servant of the People' dano.

'Yn aml, byddai ei ddiwrnod gwaith yn dechrau tua naw o'r gloch y bore ac yn ymestyn hyd oriau mân y diwrnod canlynol.'

Gwynfor: Rhag Pob Brad, Rhys Evans

140

140. Dafydd Wigley a Dafydd Elis Thomas gyda Gwynfor yn y Dalar Wen yn 1974.

141. Cynhyrchwyd amlen arbennig i ddathlu pen-blwydd Plaid Cymru yn 50 oed: Awst 1925-Awst 1975.

142. Gwynfor yn dadorchuddio cofeb ar wal yr adeilad ym Mhwllheli lle y cyfarfu grŵp bychan o genedlaetholwyr i sefydlu Plaid Cymru yn Awst 1925.

142

141

143

145

144

143. Llywydd yr S.N.P. yn siarad ar lwyfan y Rali Genedlaethol ar Sgwâr Pwllheli i ddathlu pen-blwydd y Blaid yn 50 oed.

144. Llywydd yr Eisteddfod Genedlaethol unwaith eto, yng Nghaerfyrddin, y tro hwn, yn 1974. Heblaw am Lloyd George, efallai, ni fu neb arall yn Llywydd yr Eisteddfod Genedlaethol gymaint o weithiau â Gwynfor Evans.

145. 'Think Tank' Plaid Cymru'n cwrdd yn y Dalar Wen yn 1975. Gwynfor Evans, Dafydd Elis Thomas, Phil Williams, Dafydd Wigley, Robert Gruffydd, Eurfyl ap Gwilym a Dafydd Williams.

146

147

148

146. Cinio dathlu ethol Aled Gwyn yn Gynghorydd Sir dros ardal Hendygwyn yng Ngwesty Nantyffin, Llandysilio.

Wyn a Meirwen Evans, Rhoswen Llewellyn, Mel Jenkins, Menna ac Aled Gwyn, Roy Llewellyn, Rhiannon a Gwynfor Evans, Jean Parry Roberts, Peter Hughes Griffiths ac Ithel Parry Roberts.

147. Elinor Jones yn agor Gŵyl Werin Llandeilo yn 1977 gyda Gwynfor, Leslie Richards a Ronald Williams.

148. Gwynfor a Rhiannon yng Nghinio Blynyddol Cyngor Bro Llangadog yn 1978.

149

149. Portread o Gwynfor yn 1970 gyda Dyffryn Tywi yn y cefndir.

150

'Proffwydodd wrth Elwyn Roberts , "Mae amser caled o'n blaen ymhobman, gan gynnwys oriau hwyr iawn yn Westminster a'r straen o geisio cael rhyw fath o Senedd … Fel hyn y caiff hanes ei wneud. Daeth y Blaid ymhellach nag yr oeddem ein dau yn meddwl yn ein munudau realistig".'

Gwynfor: Rhag Pob Brad, Rhys Evans

150. Gwynfor gyda Donald Stewart.

Treuliodd Gwynfor gyfnod yn y Senedd gyda Winifred Ewing a chyda Llywydd arall yr S.N.P., Donald Stewart. Bu'r ddau'n cydweithio'n agos ar fater Refferendwm ar Ddatganoli i Gymru a'r Alban yn 1979.

'Bu llawer tro ar fyd yng ngyrfa Gwynfor, ond hon oedd yr ergyd drymaf. I Gwynfor a'i genhedlaeth o genedlaetholwyr, roedd y refferendwm yn fwy na phleidlais ar weinyddu Cymru; iddyn nhw, roedd y refferendwm yn bleidlais ar gwestiwn ysbrydol a dirfodol ynghylch bodolaeth Cymru. Ar 2 Mawrth … cafodd Gwynfor yr ateb a hynny yn y modd mwyaf nacaol posibl. Torrodd Gwynfor ei galon a chyfaddefodd na wyddai beth a godai 'fwyaf o gyfog arno … gwaseidd-dra a thaeogrwydd y Cymry neu dwyll a llygredd y Blaid Lafur'.'

Gwynfor: Rhag Pob Brad, Rhys Evans

151

151. Gwynfor yn ei stydi.

'Dychwelodd Gwynfor o San Steffan i Sir Gaerfyrddin i ganol brwydr etholiadol [1979] ... Roedd y chwerwder a ddilynodd y refferendwm hefyd yn gwenwyno gobeithion y cenedlaetholwyr ... Ar 1 Mai, cyhoeddwyd arolwg barn gan BBC Cymru a awgrymodd fod Gwynfor yn debygol o ddod yn drydydd y tu ôl i'r Tori ... Ailadroddwyd yr honiad ar bob uchelseinydd o eiddo'r Blaid Lafur ... gadawyd Gwynfor 1,978 pleidlais yn brin o gyfanswm Dr Roger Thomas. Roedd colli ei sedd yn ergyd dost ... fe ddaeth Cyngor Darlledu BBC Cymru i'r casgliad fod arolwg barn cwmni Abacus wedi bod yn 'annerbyniol bell ohoni ...''

Gwynfor: Rhag Pob Brad, Rhys Evans

'Yn bersonol roeddwn yn ddigon bodlon ar y canlyniad. Roedd fy iechyd yn symol ar y pryd ... pe bawn i wedi ennill yr etholiad hwnnw fyddwn i ddim yn dal ar dir y byw.'

Rhagflas yn *Y Cymro*, Hydref 1990

152. Ar ôl 36 mlynedd fel Llywydd Plaid Cymru fe roddodd Gwynfor y gorau iddi yng Nghynhadledd Plaid Cymru yng Nghaerfyrddin yn 1981.

152

153

155

154

'I ddeall gorchest Gwynfor Evans rhaid cofio mai cenedlaetholdeb Cymru a'r bywyd cyhoeddus oedd ei brif ddiddordeb ... ond gwleidydd ydoedd yn bennaf, gwleidydd pur. Ac at hyn yr oedd yn gynrychiolydd hynod o ddengar i'r radicaliaeth werinol Gymreig ... Fe gymerai amser maith i ddarbwyllo'r Cymry. Gwyddai Gwynfor hynny, ond yr oedd ganddo amynedd; yr amynedd sydd yn gyfystyr ... â dygnwch a dyfalbarhad.'

Gwynfor Evans,
Pennar Davies

153. Gwynfor yn llongyfarch Dafydd Wigley ar gael ei ethol yn Llywydd newydd Plaid Cymru yn 1981.

154. Gwynfor yn siarad yn Rali Cofio Cilmeri yn 1982 gyda Geraint Bowen.

155. Y teulu gyda'i gilydd yn y Dalar Wen yn 1983.

156

157

157. Gwynfor tua 1983.

158

156. Canfasio yn ystod ei etholiad olaf fel ymgeisydd seneddol yn 1983 gyda Dewi Harris, Geraint Thomas a Malcolm Jones, hefyd ei wyres, Heledd, a'i ŵyr, Mabon. Collodd yr etholiad.

Ar ôl sefyll fel ymgeisydd seneddol ym Meirionnydd yn 1945, 1950, 1955, 1959, yn is-etholiad Aberdâr yn 1954 ac yna yng Nghaerfyrddin yn 1964, 1966 ac is-etholiad 1966, yn 1970, Mawrth 1974 a Hydref 1974 ac eto yn 1979, safodd Gwynfor am y tro olaf yn 1983. Bu'n ymgeisydd seneddol 13 o weithiau.

'Yn genedlaethol, roedd yna ddarlun cyffelyb i'w weld wrth i'r Cymry gofleidio Thatcher a'i chwyldro ... ac ofnai nifer o sylwebwyr fod cenedlaetholdeb a gwleidyddiaeth y chwith wedi ei ddinistrio'n derfynol ... arswydai Gwynfor o weld cyflwr ei genedl gan fod y tri pheth a garai fwyaf – y Gymraeg, Cymru a heddwch byd – yn y fantol.'

Gwynfor: Rhag Pob Brad, Rhys Evans

158. Cyflwynwyd Medal Anrhydeddus Gymdeithas y Cymmrodorion i Gwynfor yn 1984.

159

159. Clive Jones Davies, Prifathro Coleg y Drindod, Caerfyrddin, yn cyflwyno Sgrôl Cymrodoriaeth Coleg y Drindod i Gwynfor yn 1995. Ei fab Guto Prys ap Gwynfor a fu'n cynrychioli ei dad yn y seremoni ar ddydd y graddio.

160. Cynhaliwyd swper ffarwél i Gwynfor a Rhiannon yn Neuadd Llangadog yn 1984.

O'r chwith i'r dde: y Parchedig Alwyn a Mrs Hettie Williams, Mrs Iris Rees, Rhiannon a Gwynfor Evans, Nellie Thomas a Gwyn James.

161. Pobl Llangadog yn dymuno'n dda i Gwynfor a Rhiannon yn y swper ffarwél yn 1984.

'Symudasant i'r byngalo newydd ym Mhencarreg yn haf 1984 ... cynhaliwyd seremoni swper i ffarwelio â hwy yn Neuadd Llangadog ... Roedd hi'n noson 'fythgofiadwy' ... noson i dros 200 o bobl dalu teyrnged i ddau a wnaeth gymaint dros Gymreictod eu cymdogaeth dros gyfnod o 45 o flynyddoedd.'

Gwynfor: Rhag Pob Brad, Rhys Evans

160

161

162

YMDDEOL OND DAL ATI

(Pennod 7)

162. Gwynfor a Rhiannon yn yr ardd yn y Dalar Wen newydd ym mhentref Pencarreg rhwng Llanybydder a Llanbedr Pont Steffan yn 1984.

163. Dafydd Iwan yn canu o flaen Neuadd y Guildhall yng Nghaerfyrddin yn 1986 i Ddathlu'r Deffro yn 1966.

164/165. Posteri Dathlu'r Deffro yn 1986.

163

164

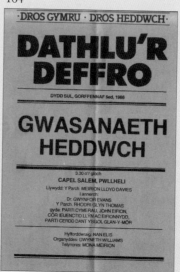

165

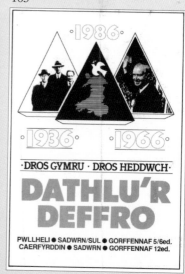

166

166. Gorymdaith Dathlu'r Deffro trwy Gaerfyrddin gyda Hywel Teifi Edwards, Gwynfor Evans a Cyril Jones ar y blaen ac yn cael eu dilyn gan Peter Hughes Griffiths, Ray Gravelle, Jim Sillars o'r S.N.P. a Dafydd Elis Thomas.

167. Gorymdaith arall Dathlu'r Deffro, o Benyberth i Bwllheli.

168. Gwynfor yng nghwmni Cassie Davies (yn eistedd), a Marie James, Llangeitho, yn 1987.

167

168

169

170

169. Gwynfor wrthi'n garddio yn 1989.

170. Y teulu wedi dod ynghyd yn y Dalar Wen yn 1989.

I Rhiannon Evans

Yn iach yn ôl daw'n chwyn ni yma byth;
gwyddom bawb am erddi
a dagwyd trwy'n diogi,
ond gwyrdd o hyd ei gardd hi.

Tudur Dylan Jones

171

172

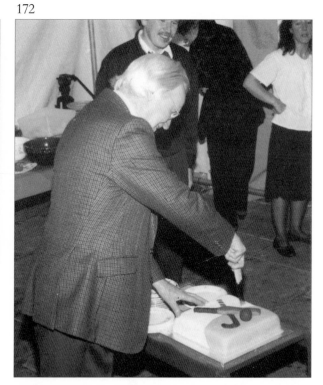

171/172. Trefnwyd parti pen-blwydd i Gwynfor ar ei bedwar ugain oed heb yn wybod iddo yn Yr Hen Gapel, Pencader, yn 1992.

O'r chwith: Peter Hughes Griffiths, Cyril Jones, Llinos a Cynog Dafis, Gwynfor, Rhodri Glyn a Marian Thomas.

'Bu dychwelyd Dafydd Wigley i'r llywyddiaeth yn Hydref 1991 hefyd yn fodd i sefydlogi cenedlaetholdeb Cymreig ... Flwyddyn yn ddiweddarach, gydag ethol Cynog Dafis yn etholiad cyffredinol 1992, cafodd Plaid Cymru bedwar o Aelodau Seneddol – ei nifer mwyaf. Erbyn hynny, roedd Gwynfor yn 80 oed a chyfaddefodd fod y 'beichiau'n disgyn' serch ei fod yn dal i deithio tua 15,000 o filltiroedd y flwyddyn yn rhinwedd ei swydd fel llywydd anrhydeddus y Blaid.'

Gwynfor: Rhag Pob Brad, Rhys Evans

173

174

173. Dafydd Wigley, Peter Hain, Ron Davies, Win Griffiths a Richard Livsey yn dathlu canlyniad y refferendwm dros gael Cynulliad i Gymru yn 1997.

174. Dafydd Wigley yn codi braich Gwynfor ar lwyfan Cynhadledd Plaid Cymru yn fuan ar ôl buddugoliaeth y refferendwm o blaid sefydlu Cynulliad i Gymru yn 1997.

'Coron ei yrfa oedd gweld pleidlais Ie yn yr ail refferendwm ar ddatganoli ym Medi 1979. I Gwynfor, roedd y bleidlais hon yn cyfiawnhau nid yn unig bopeth y safodd drosto ond hefyd ei dactegau personol; dyma'r prawf diymwad iddo ef y medrai Cymru gael rhywbeth drwy chwarae'r gêm seneddol … roedd y ffaith mai Sir Gaerfyrddin a gyhoeddodd olaf ar noson hynod ddramatig yn ategu rôl y sir honno (a'i rôl bersonol yntau) fel gwaredwr cenedlaethol … Drannoeth, tyrrodd y camerâu teledu i Bencarreg er mwyn clywed barn yr hynafgwr ynghylch y noson a ystyriai fel y bwysicaf yn holl hanes Cymru. I Gwynfor, roedd arwyddocâd y canlyniad yn syml: byddai'r Cynulliad … yn 'ddigon i ddiogelu bywyd y genedl'. Rai dyddiau'n ddiweddarach yng Nghynhadledd Flynyddol Plaid Cymru, cyfarchwyd Gwynfor fel y gŵr a enillodd y chwyldro gweinyddol mwyaf yn holl hanes Cymru.'

Gwynfor: Rhag Pob Brad, Rhys Evans

Gwynfor Evans

Drwy aberth aeth ei driban – yn arwydd
Ein hymwared weithian;
I wrda aeth drwy'r purdan
Heb lid – daw rhyddid i'w ran.

W. R. P. George

175

176

176. Galwodd Winnie Ewing heibio gyda Cynog Dafis a Roy Llewellyn i gyfarch Gwynfor.

177. Llywydd Plaid Cymru, Dafydd Wigley, a'i wraig Elinor yn galw heibio i'r Dalar Wen yn 1999.

175. Aelodau cyntaf Plaid Cymru yn y Cynulliad a'u teuluoedd yn ymweld â'r Dalar Wen yn 1999.

'Pan etholwyd 17 o aelodau Plaid Cymru i'r Cynulliad cyntaf yn 1999, gwelai Gwynfor wawr eirias newydd ar fin torri. Dyma oedd thema fawr y gyfrol a gyhoeddodd flwyddyn yn ddiweddarach, *The Fight for Welsh Freedom*.'

Gwynfor: Rhag Pob Brad, Rhys Evans

177

178

179

178. Dr Phil Williams wrth ei fodd yng nghwmni Gwynfor yn 1999.

179. Llywydd presennol Plaid Cymru, Ieuan Wyn Jones, yng nghwmni Gwynfor yn y flwyddyn 2000.

Gwynfor

Pan elwn i'r berllan y gaeaf
ni chawn yno neb ond y gwynt
yn rhwygo'i gnawd yn y brigau.
Fe'i gwelwn yn rhisglo'i dalcen
o foncyff i foncyff rhonc
a'i ricio gan ddannedd y rhew.

Yno roedd gweoedd y Corryn
a gyflyrodd genedlaethau o hafau
i dderbyn pob hydref fel y derbyniodd ein tadau'r diclein.
Ac er i Ha' Bach Mihangel ddychwel o glawdd i glawdd
i dorri ar wg y gaeaf
byddai'n ffoi am ei fywyd rhag henaint brain y Mis Du.

Ac o Ragfyr i Chwefror yr yrfa
daearwyd cenedl grin.
        Roedd y gwynt yn yr angladd –
        daearwyd ei ddagrau ...

A dyfnder a alwodd ar ddyfnder –
Bydded bore o wanwyn!
A'r gwanwyn a fu! ...

T. James Jones

180

180. Rhiannon yn dathlu ei phen-blwydd yn 80 oed yn 1999.

181. Yn Eisteddfod Genedlaethol Cymru yn Llanelli yn 2000 yr ymddangosodd Gwynfor yn gyhoeddus am y tro olaf, i dderbyn Gwobr Anrhydedd Cymru'r Cyfanfyd am oes o waith dros Gymru. Roedd y seremoni'n llawn emosiwn wrth i gynulleidfa'r pafiliwn gorlawn anrhydeddu'r gŵr arbennig hwn. Gwynfor oedd y cyntaf i dderbyn yr anrhydedd.

182. Gwynfor gyda'i wyrion a'i wyresau yn dilyn y seremoni.

181

182

183

YR HEDDYCHWR A'R CRISTION (*Pennod 8*)

183. Gwynfor gyda Mrs A. J. Jones y tu allan i babell 'Heddychwyr Cymru' yn Eisteddfod Genedlaethol Caerdydd yn 1938. Ym mis Awst 1939, adeg Eisteddfod Genedlaethol Dinbych, derbyniodd Gwynfor ysgrifenyddiaeth Heddychwyr Cymru.

'Yn Ebrill 1938 ... penderfynwyd sefydlu Heddychwyr Cymru ... gyda George M. LL. Davies, eilun Gwynfor, yn llywydd arni ... yn ddiweddarach, yn Eisteddfod Genedlaethol Caerdydd, roedd Heddychwyr Cymru yn fwy poblogaidd nag y buont erioed, a thyrrodd miloedd o Gymry Cymraeg i'w phabell ... [ym mis Ebrill 1941] aeth ati i wireddu'r syniad o gyhoeddi pamffledi Cymraeg yn enw'r heddychwyr ... Golygodd Gwynfor ei hunan y ddeuddegfed yn y gyfres, sef *Tystiolaeth y Plant*, datganiadau gan 14 o bobl ifanc ynghylch pam yr oeddynt yn heddychwyr.'

Gwynfor: Rhag Pob Brad, Rhys Evans

'Ar ôl marw'r Dr Gwynfor Evans, tystiodd ei blant a phobl a oedd yn ei adnabod yn dda mai heddychwr oedd yn gyntaf ac yn bennaf.'

Y Parchedig Cynwyl Williams, *Yr Archesgob Rowan Williams*

184

184. George M. Ll. Davies.

' ... y cysylltiad mwyaf ffrwythlon oedd ei gyfeillgarwch â George M. Ll. Davies. Treuliodd wyliau haf gydag ef yn y gwersyll i lowyr di-waith ...'

Gwynfor Evans, Pennar Davies

'[Yn 1939] 'peth bendigedig' iddo oedd gallu ymgymryd â thaith beryglus ddiwedd y mis [Awst] i Amsterdam lle daeth 1,500 o Gristnogion ifanc ynghyd ar gyfer cynhadledd nodedig ... Am ddeng niwrnod buont yn trafod, gweddïo a myfyrio ... Dychwelodd Gwynfor i Gymru gan wneud apêl olaf yn *Y Faner* ar i'w gyd-wladwyr arddel 'ysbryd tangnefeddus'. Ond yn ofer ... Roedd hi'n rhyfel byd am yr eildro.'

Gwynfor: Rhag Pob Brad, Rhys Evans

185

185. Y Parchedig Ben Evans, tad-cu Gwynfor.

'Yn 1943 traddodasai anerchiad yng nghynhadledd Urdd y Deyrnas yn Aberystwyth ar waith y Cristion 'yn y byd'. (Cyhoeddwyd gydag anerchiadau gan eraill yn y gyfrol *Cynllun a Sail* yn 1946). Yn y traethiad hwn dyry lawer mwy o le i 'arglwyddiaeth Crist' ... Cawn grynodeb o'i seiliau mewn anerchiad ar 'Pa fath fyd a fynnwn' yn un o gyfarfodydd Undeb yr Annibynwyr yn Abertawe yn 1945. 'Y ffydd Gristnogol,' medd ef, 'yw bod ystyr i fywyd ac i hanes' ... Ond gwêl werth dyn yng ngoleuni pwrpas Duw i'w fyd. Hawdd dirnad rhyw debygrwydd rhwng yr optimistiaeth hon ac optimistiaeth ei dad-cu Ben Evans.'

Gwynfor Evans, Pennar Davies

'[Traethodd] yn hynod o effeithiol ar 'Heddwch a Chymru' yn Ysgol Haf gyntaf Heddychwyr Cymru (ym Mangor, 1944).'

Gwynfor Evans, Pennar Davies

186

186. Cyfarfod Heddwch yn Sgenfrith yng Ngwent yn 1946.

187

187. Gwynfor, yr ymgyrchwr a'r heddychwr ifanc, yn 1947.

188

188. Rali Llyn y Fan, Calan 1947.

'Er bod y Swyddfa Ryfel wedi cyhoeddi y noson cyn y brotest na châi ardal Llyn y Fan ei throi'n faes tanio, yr oedd hyn yn amherthnasol erbyn i'r protestwyr gyrraedd ... Barn Gwynfor a phenaethiaid y Blaid oedd y dylai'r brotest fynd rhagddi gan gymaint yr ansicrwydd a deimlid ar draws cefn gwlad Cymru.'

Gwynfor: Rhag Pob Brad, Rhys Evans

'Yn gynnar yng nghyfnod y rhyfel yr oedd yn hynod o weithgar yn yr ymgais i achub Mynydd Epynt rhag rhaib y Swyddfa Ryfel. Penderfynodd y Swyddfa honno yn 1940 droi rhyw bedwar cant o bobl allan o'u cartrefi ...'

Gwynfor Evans, Pennar Davies

189

189. Gwynfor yn sefyll wrth un o adfeilion ffermdy ar Fynydd Epynt yn 1987.

190

190. Cynhaliwyd gwasanaeth gan Gymdeithas y Cymod yn 1992 ar safle Capel y Babell ar Fynydd Epynt i gofio'r troi allan. Gyda Gwynfor mae Irene Williams, gwraig yr Athro Cyril Williams.

191

192

191. Brinley Davies, a orfodwyd i adael ei fferm, Gwybedog, Tirabad, ar Fynydd Epynt yn 1940, gyda Gwynfor yn y gwasanaeth ar safle Capel y Babell yn 1992.

'Daethom yn agos at lwyddo i gadw Epynt rhag cael ei anrheithio, ond ... meddiannodd y Swyddfa Ryfel ddeugain mil o aceri yn gyflym, yr holl fynydd a'i gymoedd.'

Bywyd Cymro, Gwynfor Evans

'Siaradwn dros heddychwyr yn yr awyr-agored yn ogystal ag o dan do. Byddai rhai o gyrddau'r Mudiad Heddwch yn fawr iawn, megis yn Abertawe lle gorlenwyd y Neuadd Ganol a ddaliai fil o bobl.'

Bywyd Cymro, Gwynfor Evans

192. Rali Heddwch Abertawe yn 1949.

193

193. Gwynfor yn annerch yn Rali Abergeirw, 1948.

'Pan ddywedodd y Weinyddiaeth Ryfel ei bod am ychwanegu miloedd o erwau at ei Gwersyll yn Nhrawsfynydd ... llwyddwyd i gyfuno sêl wladgarol ac argyhoeddiad heddychol. Yr oedd hyn wrth fodd Gwynfor Evans, ac yn awr cyhoeddwyd ei bamffled *Cry Havoc* ... ar Awst 30 a Medi 29, 1951 ... Euthum gyda J. Gwyn Griffiths yno ... a chefais gyfle i weld ac i edmygu ei wrhydri . Efe oedd cadfridog y gad ddi-drais hon ... Canlyniad y gweithredu yn Nhrawsfynydd oedd i'r Swyddfa Ryfel roi heibio ei chynllun i feddiannu ardal gyfan.'

Gwynfor Evans, Pennar Davies

194. Gwynfor yn annerch yn Rali Trawsfynydd, 1951.

195. Yn y rhes flaen fe welir Dan Thomas, Gwynfor, D. J. Williams, Dewi W. Thomas, Waldo Williams a Llwyd o'r Bryn. Hefyd yn y llun mae J. Pryce Wynn ac Ifor Owen.

194

195

196

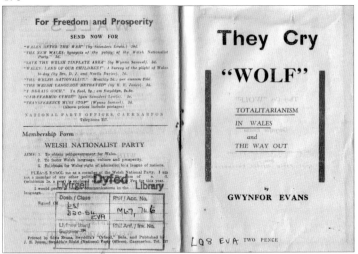

197

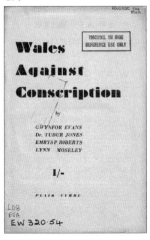

196. Cyhoeddwyd pamffled Gwynfor, *They Cry "Wolf"*, yn 1944, sef pamffled ar y bygythiad o du totalitariaeth Seisnig.

'Yn fuan ar ôl y gweithredu yn Nhrawsfynydd penderfynodd y Blaid mai ei dull hi oedd gweithgarwch cyfansoddiadol ... Golygai penderfyniad y Blaid y byddai ei Llywydd yntau'n ymwadu â'r dulliau anghyfansoddiadol. Bu'n ffyddlon i'r penderfyniad er cymaint y demtasiwn ambell waith i'w ailystyried.'

Gwynfor Evans, Pennar Davies

'Erbyn 1953 yr oedd llawer o gyd-Annibynwyr Gwynfor Evans am ei weld yn Gadeirydd eu Hundeb, a chafodd ei ethol ... fel Cadeirydd yn 1954 ... Ni chafodd neb ei ethol mor ifanc. Yr oedd yn deyrnged frwd i Gwynfor Evans fel Cristion a heddychwr a chenedlatholwr ... Wrth fynd i'w gadair ym Mai 1954 ym Mhen-y-groes, Sir Gaerfyrddin, traddododd ei anerchiad ar 'Gristnogaeth a'r Gymdeithas Gymreig'. Iddo ef yr oedd yn gyfle i roi arweiniad lle yr oedd angen arweiniad.'

Gwynfor Evans, Pennar Davies

198

198. Gwynfor a J. E. Jones yn croesawu Chris Rees o'r carchar yn 1955 am wrthod cyflawni gwasanaeth cenedlaethol.

'Yn 1952 traddododd anerchiad ar 'Heddychiaeth fel Polisi Cenedlaethol' yng nghyfarfod y Gymdeithas Heddwch yn Undeb yr Annibynwyr yn Nhreforys. Dywed mai 'Gandhi yw proffwyd mawr yr heddychwyr yn ein cyfnod ni'.'

Gwynfor Evans, Pennar Davies

199

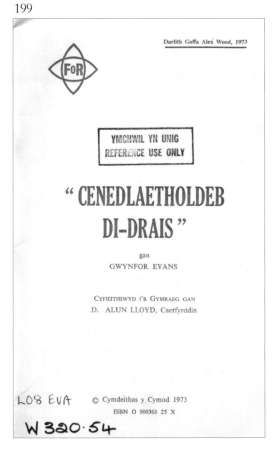

199. *Cenedlaetholdeb Di-Drais*, 1973.

'... darlith 'Alex Wood' Gwynfor Evans, *Cenedlaetholdeb Di-drais* ... a draddodwyd, dan nawdd Cymdeithas y Cymod, o flaen cynulleidfa fawr yn y Deml Heddwch yng Nghaerdydd ... "Ewyllys ac nid grym yw sylfaen y wladwriaeth," medd ef ...'

Gwynfor Evans, Pennar Davies

'Fe chwaraeodd ran bwysig iawn yn CND Cymru pan oedd diarfogi yn isel ar yr agenda ac CND yn cael bron dim sylw. Siaradodd yn gryf yn y Senedd yn erbyn rhyfel Fietnam ac fe'i cynigiodd ei hun fel 'tarian ddynol' yn Hanoi yn 1968. Fe wrthodwyd mynediad i'r grŵp i Fietnam ond roedd y weithred yn nodweddiadol o ŵr na allai sefyll a gwylio'r fath laddfa.'

Jill Evans ASE, *Cylchlythyr Cymdeithas y Cymod*, Hydref 2005

'Bu Cymdeithas y Cymod yn ddyledus i Gwynfor am ei gefnogaeth gyson a'i braint oedd cael cyhoeddi ei draethiad ar George M. Ll. Davies, 'Pererin Heddwch Cymru'.'

Cylchlythyr Cymdeithas y Cymod

200

200. Gwynfor y tu allan i babell CND Cymru gyda'r Canon Dewi Thomas yn yr Eisteddfod Genedlaethol yn 1982.

201

202

201. Gyda'r Parchedig Herbert Hughes a'r Parchedig D. R. Thomas mewn Rali CND y tu allan i Neuadd y Sir, Caerfyrddin, yn protestio'n erbyn adeiladu'r byncar tanddaearol yn y maes parcio gerllaw.

'Lle bo'r frwydr genedlaethol, fel yng Nghymru, yn un â'r frwydr am gyfiawnder cymdeithasol ac am ryddhad personol, dylid ymwrthod â thrais yn gyfan gwbl.'

Cenedlaetholdeb Di-drais, Gwynfor Evans

202. Gwynfor gyda'i ddosbarth Ysgol Sul yng Nghapel Providence, Llangadog, yn 1956.

Y rhes gefn: Daniel Evans, Audrey Jones, Aneurin Williams, Sali Perkins, Gareth Thomas a John Davies.
Yn eistedd: Marjorie Hughes, Beryl Thomas, Beti Jones, Gwynfor Evans, Edith Meredith a Nancy Thomas.

'Gwnes dipyn o waith uniongyrchol dros achos Iesu Grist – ddim cymaint ag y dylaswn o bell ffordd. Yr esgus a roddaf dros wneud cyn lleied yn uniongyrchol yw bod gweithio dros Gymru a thros heddwch yn waith dros ei achos mawr ef ac yn fath o weinidogaeth. Bûm yn aelod mewn capel erioed, yn dangos fy ochr gyda'r credinwyr ac yn cydaddoli gyda nhw ... Hoffai Hilda Ethel fy atgoffa i mi gael y fraint o'i dysgu hi fel un o ddosbarth merched Coleg y Barri yn 1937–39 ... Un peth yr ymffrostiaf ynddo yw fod un o'm dosbarthiadau Ysgol Sul yn Llangadog wedi cynhyrchu tri gweinidog ... Ronald Williams, Caernarfon ... Gareth Thomas ... Gwnaeth Guto Prys dipyn o bopeth cyn gwneud ei benderfyniad ... Bu'r tri mor eithriadol lwcus ag eistedd wrth draed Pennar Davies ac athrawon ardderchog Coleg Coffa'r Annibynwyr.'

Bywyd Cymro, Gwynfor Evans

203

● Good Friday peace call . . . Plaid Cymru leader Mr Gwynfor Evans joins protesters against nuclear weapons in a sit-down protest at RAF Brawdy yesterday.

205

205. Gwynfor gyda'r ymgyrchydd heddwch ac aelod o Senedd Ewrop, Jill Evans, yn 2004.

203. Rali Breudeth, Sir Benfro: Gwynfor yn eistedd gyda'r protestwyr.

'Gwelsom fod Gwynfor Evans yn gydgenedlaetholwr cyn troi'n genedlaetholwr a'i fod adeg yr Ail Ryfel Byd a chwedyn yn heddychwr cydwybodol a gobeithlon ... Rhaid ychwanegu hefyd iddo yn ei 'araith forwynol' yn Nhŷ'r Cyffredin seilio ei obaith dros Gymru ar y 'gwerthoedd Cristnogol' yn ei hetifeddiaeth.'

Gwynfor Evans, Pennar Davies

204. Taflen gwasanaeth heddwch Pwllheli, 1986.

'Rhoddodd wasanaeth gwerthfawr i'r Annibynwyr Cymraeg ... Bu'n brysur yn 1958-9 fel cadeirydd Pwyllgor Adeiladau'r Undeb a Gwasg John Penry, ac felly cafodd ran bwysig yn y gweithgarwch a arweiniodd at agor Tŷ John Penry yn Abertawe yn Ebrill 1959 ...

Yn 1962 gwnaeth Gwynfor ymgais lew i uno dwy eglwys yn Llangadog, Gosen y Methodistiaid Calfinaidd a Providence yr Annibynwyr. Yr oedd amharodrwydd rhywrai i fentro yn dristwch iddo, ond yn ôl ei arfer gwrthododd ddigalonni a throes ei law i'w aml weithgareddau eraill.'

Gwynfor Evans, Pennar Davies

204

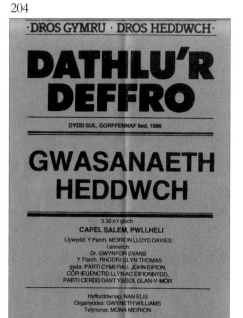

· DROS GYMRU · DROS HEDDWCH ·

DATHLU'R DEFFRO

DYDD SUL, GORFFENNAF 6ed, 1986

GWASANAETH HEDDWCH

3.30 o'r gloch
CAPEL SALEM, PWLLHELI

Llywydd: Y Parch. MEIRION LLOYD DAVIES
I annerch:
Dr. GWYNFOR EVANS
Y Parch. RHODRI GLYN THOMAS
gyda: PARTI CYMERAU, JOHN EIFION,
CÔR IEUENCTID LLŶN AC EIFIONNYDD,
PARTI CERDD DANT YSGOL GLAN-Y-MÔR

Hyfforddwraig: NAN ELIS
Organyddes: GWYNETH WILLIAMS
Telynores: MONA MEIRION

206

206. Dafydd Iwan yn siarad yn y gwasanaeth angladdol gyda baner heddwch y tu ôl iddo.

'Ganwyd yr enaid mawr hwn yn y ganrif fwyaf treisgar yn hanes y byd. Pa ryfedd felly mai heddwch rhyngwladol oedd pwnc cyhoeddus cyntaf Gwynfor Evans? Pwnc ei gyfweliad olaf (yn Nhachweddd 2004) oedd ymosodiad deifiol ar fenter anghyfreithlon Llywodraeth y Deyrnas Unedig a'r Unol Daleithiau yn erbyn Irác. Y cyplysiad hwn rhwng dyfodol Cymru fel cenedl a heddwch byd-eang oedd canolbwynt ei yrfa gyhoeddus a'i argyhoeddiad personol. Gosododd urddas digymar ar ein bywyd cyhoeddus yn genedlaethol a rhyngwladol. Yn nhywyllwch yr ugeinfed ganrif ryfelgar a threisgar bu ei fywyd yn olau.'

Arglwydd Dafydd Elis Thomas, *Cylchlythyr Cymdeithas y Cymod*, Haf 2005

207

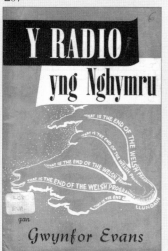

YR IAITH, RADIO a SIANEL DELEDU GYMRAEG *(Pennod 9)*

207. 'Yn Eisteddfod Genedlaethol Llandybïe yn 1944 rhoeswn ddarlith i lond capel o bobl ... ar 'Y Radio yng Nghymru'. Fe'i cyhoeddwyd yn Gymraeg ac yn Saesneg ... gwerthodd ddeng mil o gopïau.'

Bywyd Cymro, Gwynfor Evans

'Cafodd annerch Aelodau Seneddol Cymreig ym Mawrth 1946, yn Nhŷ'r Cyffredin, a phleidiai dros sefydlu Corfforaeth Radio i Gymru ... Pan ddechreuodd wasanaethu ar Bwyllgor Ymgynghorol Cymreig y B.B.C. mynnodd sefydlu egwyddor dwyieithrwydd yn ei drafodaethau.'

Gwynfor Evans, Pennar Davies

'Trwy ei waith i gyd gwnaeth lawer i beri inni gofio fod gennym yng Nghymru etifeddiaeth hynod o gyfoethog ac o bwysfawr ... A bu'n gwbl sicr nad oes fodd achub Cymru heb ddiogelu ac adfer y Gymraeg ...

Gwelsom iddo yn gynnar iawn (yn 1937 yng nghynhadledd y Blaid yn Y Bala) alw am ei gwneud yn iaith swyddogol yng Nghymru ... Bu'n pledio achos yr iaith mewn llithiau yn y wasg ac mewn pamffledi megis *Eu Hiaith a Gadwant* (1948) a *Cyfle Olaf y Gymraeg* (1962) ac mewn penodau grymus yn *Rhagom i Ryddid* ac *Aros Mae*.'

Gwynfor Evans, Pennar Davies

'Gwyddom y ffordd i achub y Gymraeg. Gorchwyl posibl yw achub y Gymraeg, nid gorchest amhosibl ... Cymreigio ysgolion a Cholegau Technegol ac Amaethyddol a hyfforddi a Chymreigio'r Brifysgol, lle y daeth angen am Goleg Cymraeg yn ddwysach gyda'r cynnydd cyflym yn ei Seisnigrwydd.'

Dyfyniad allan o *Cyfle Olaf y Gymraeg*, 1960

208

209

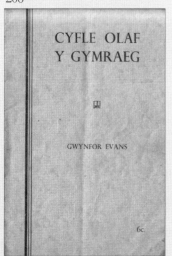

210

210. Yn Ysgol Haf Plaid Cymru ym Mhontarddulais yn 1962 y sefydlwyd Cymdeithas yr Iaith Gymraeg.

211

211. Gwynfor Evans gyda'r Parchedig Elfed Lewis yn arwain un o Deithiau Protest Cymdeithas yr Iaith yn Nhalyllyn yn 1972.

'Yn 1952 yn Llys Prifysgol Cymru gwnaeth araith feiddgar dros sefydlu coleg Cymraeg yn y Brifysgol, a phenodwyd pwyllgor i ystyried y cynnig. Cyfaddawd a gafwyd, sef penodi darlithwyr yn y Colegau i ddarlithio trwy gyfrwng y Gymraeg.'

Gwynfor Evans, Pennar Davies

'Cariwyd, gyda mwyafrif llethol, y cynnig fod y Llys yn ystyried y priodoldeb o sefydlu Coleg Cymraeg.'

Bywyd Cymro, Gwynfor Evans

'Credaf y dylid cael Mesur yr Iaith Gymraeg a ddylai ddatblygu'n Ddeddf a roddai i'r iaith Gymraeg statws cyfartal gyda'r Saesneg.'

Gwynfor Evans, Dadl Araith y Frenhines, 1976

212

213

214

'Ar 3 Mai, 1980, rhannodd Gwynfor ei gyfrinach fawr â'r byd a'r betws … Roedd yr ympryd … i ddechrau ar 5 Hydref … Datgelodd hefyd y byddai'r ympryd yn digwydd yn llyfrgell y Dalar Wen gyda chwe chyfrol ar Gandhi yn borthiant ymenyddol iddo …'

Gwynfor: Rhag Pob Brad, Rhys Evans

212. Gwynfor yn annerch mewn Rali Ymgyrch am Sianel Gymraeg y tu allan i'r Deml Heddwch yn 1971.

'Yn 1955 cafodd Gwynfor Evans ei ddirwyo gan lys yn Llangadog am wrthod talu am drwydded radio … buasai Gwynfor Evans ymhlith y rhai a sefydlasai Gwmni Teledu Cymru, y cwmni a fethodd, gan fod y Llywodraeth wedi gosod arno amodau a wnaeth ei waith yn amhosibl …'

Gwynfor Evans, Pennar Davies

213. 'Dylai un o'r pedair sianel gael ei neilltuo i raglenni yn yr iaith Gymraeg – dyna o bosib yr unig ffordd i sicrhau cyfiawnder i'n hiaith genedlaethol.'

Gwynfor Evans mewn dadl ar ddarlledu yn Nhŷ'r Cyffredin, Rhagfyr 3, 1969

'Fy marn i yw mai'r hyn y dylem fynd amdani yw Sianel Genedlaethol a ddarlledai 24-25 awr o Gymraeg yr wythnos.'

Gwynfor Evans yn *Y Ddraig Goch*, Chwefror 1972

214. Gwynfor yn ei lyfrgell yn y Dalar Wen yn 1980 cyn iddo gyhoeddi ei fwriad i ymprydio.

'Ar 12 Medi 1979 yng Nhaergrawnt cyhoeddodd William Whitelaw … na fwriadai'r Llywodraeth anrhydeddu ei haddewid i sefydlu'r sianel deledu Gymraeg a addawsai hi a Llafur fel ei gilydd … penderfynais mai ymprydio a wnawn hyd nes y cyhoeddai'r Llywodraeth ei bod am gadw ei gair a chyflawni ei haddewid i sefydlu sianel Gymraeg.'

Bywyd Cymro, Gwynfor Evans

215

216

215. Gorymdeithio drwy Gaerdydd yn ystod y Rali Dros Sianel Gymraeg yn 1980.

216. Gwynfor gyda'r tri Dafydd ar lwyfan y Rali Dros Sianel Gymraeg yng Nghaerdydd.

'... yr oeddwn wedi trefnu cynnal rhwng Medi 6 a'r noson cyn dechrau'r ympryd ar Hydref 5 ddau ar hugain o gyrddau yng Nghymru ynghyd â thri arall ... yn yr Alban ... Daeth dwy fil o bobl i'r rali gynhyrfus a ddechreuodd y gyfres ar Sadwrn Medi 6 yng Ngherddi Sophia, Caerdydd ... Yn Glasgow yr oeddwn i ar y nos Lun ganlynol a mil o bobl yn gorlenwi'r McClellan Galleries.'

Bywyd Cymro, Gwynfor Evans

Gwynfor Evans

Pan nychem, pan welwem ni, digonaist
Y genedl, a'i phorthi;
Rhoi, drwy dy holl ddewrder di,
Freuddwyd yn fara iddi.

Alan Llwyd

217

217. Gwynfor yn cyfarch y dorf yn Neuadd y Farchnad, Crymych, ar y noson y cyhoeddodd na fyddai'n cychwyn ar ei ympryd, Medi 17, 1980.

'Ar 17 Medi, rhoes Gwynfor y gorau i'w fygythiad i ymprydio.
Y noson honno yng Nghrymych, cyfarchwyd Gwynfor fel arwr ac, am bum munud gyfan, bu'r dorf luosog yn siantio'i enw. Yn Llundain paentiwyd y slogan mwyaf cofiadwy yn holl hanes cenedlaetholdeb Cymreig ar fur yr Embankment, gyferbyn â Thŷ'r Cyffredin: Gwynfor 1 Whitelaw 0. Disgrifiodd Gwynfor ei hun y fuddugoliaeth fel yr un fwyaf yn hanes yr iaith Gymraeg.'

Gwynfor: Rhag Pob Brad, Rhys Evans

218

218. Gwynfor yn eistedd yn y tu blaen (ar y chwith) a'r neuadd dan ei sang ar y noson pan gyhoeddodd na fyddai'n cychwyn ar ei ympryd yn ystod yr ymgyrch am Sianel Deledu Gymraeg, Medi 17, 1980.

219

219. Tudalen o ddyddiadur personol Gwynfor Evans yn nodi dyddiadau'r ympryd – ac yna llinell trwy'r dyddiad hwnnw.

220

221

220/221. Y ddwy record *Rhaid i Gymru Fyw* a *Wales Must Live*, a gyhoeddwyd ar Orffennaf 5, 1980, yn dilyn ei gyhoeddiad ar Fai 6, 1980, y byddai'n cychwyn ar ei ympryd ar Hydref 6, 1980.

'Os rŷm ni i fyw mae'n rhaid cael gwasanaeth Cymraeg ar ein sianel. Nid yw hyn yn ddigon i achub yr iaith, ond heb wasanaeth teledu cyflawn ni all yr iaith fyw …'

Dyfyniad o'r record *Rhaid i Gymru Fyw*, 1980

222

222. Gwynfor yn dathlu buddugoliaeth sianel Gymraeg gyda Dafydd ac Elinor Wigley, Phyllis Elis a Gwyn Jones mewn noson ym Mhentrefelin, Porthmadog. Er bod gwydr o flaen Gwynfor bu'n llwyr ymwrthodwr drwy gydol ei fywyd.

'Drannoeth [cyfarfod Crymych], aeth ar daith o amgylch Cymru gan ddechrau ym Mhorthmadog cyn gorffen ym Melin-y-Wig, man geni J. E. Jones. Yno, dadorchuddiodd garreg er cof am ei hen gyfaill, ac, ymhobman yr âi, rhuthrai pobl ato i ddangos eu diolchgarwch.'

Gwynfor: Rhag Pob Brad, Rhys Evans

223. Gwynfor gydag Olwen, gweddw J. E. Jones, yn dadorchuddio'r gofeb ym Melin-y-Wig yn 1980.

224. Gwynfor Evans yn edrych ar y darllediad cyntaf ar S4C.

223

224

225

225. Gwynfor gyda William Aaron yn agor Pencadlys a Stiwdio newydd Barcud yng Nghaernarfon yn 1990.

226. Gwynfor a chyn-gôl-geidwad tîm pêl-droed Cymru, Dai Davies, Dafydd Morgan Lewis a Gwenith Huws mewn Rali Cymdeithas yr Iaith dros Addysg Gymraeg.

'Yn 75 oed, sefydlodd fudiad PONT i geisio cyfannu'r gagendor diwylliannol rhwng y Cymry Cymraeg a'r mewnfudwyr ... Fodd bynnag, ni thyfodd PONT i fod y mudiad 'grymus' y gobeithiai Gwynfor ei greu ...'

Gwynfor: Rhag Pob Brad, Rhys Evans

226

227

LLYSGENNAD AR GRWYDR

(Pennod I 0)

227. Gwynfor a Rhiannon yng nghwmni Éamon de Valéra, Llywydd Gweriniaeth Iwerddon.

'Gelwais heibio i de Valéra sawl tro pan oedd yn Brif Weinidog, ac roedd bob amser yn serchog a chwrtais ei groeso. Holai yn fanwl am a ddigwyddai yng Nghymru.'

Bywyd Cymro, Gwynfor Evans

228. Rhaglen ymweliad de Valéra â Chaerdydd.

'Cafodd siarad ar Radio Eireann Fedi 25, 1946, a bod yn westeiwr swyddogol i de Valéra pan ymwelodd â Chymru yn 1947 a chydannerch ag ef yng Nghaerdydd.'

Gwynfor Evans, Pennar Davies

229. Gwynfor yn Barcelona yn 1952.

'Ymwelais â rhai o'r cenhedloedd bach hyn, megis Corsica, Catalonia a Yscadi; gwlad y Basgiaid ... Pan anerchais rali fawr plaid genedlaethol Catalonia yn Barcelona gyda thorf o saith mil yn gorlenwi'r stadiwm lliwgar, siaredais yn Gymraeg yn unig a gyfieithwyd i'r Gatalaneg yn unig.'

Bywyd Cymro, Gwynfor Evans

228

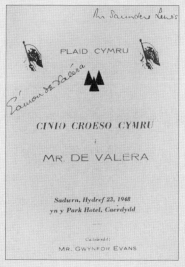

229

'Yr oedd am gyflwyno achos Cymru i'r byd, ond yr oedd yr un mor awyddus i galonogi arweinwyr cenhedloedd gorthrymedig neu amddifaid eraill...'

Gwynfor Evans, Pennar Davies

230

231

231. Winnie Ewing a Gwynfor gyda'i gilydd yn y Senedd yn Llundain ddiwedd y 1960au.

'Rhoes buddugoliaeth Plaid Cymru yn is-etholiad Caerfyrddin yn 1966 hwb enfawr i'r S.N.P. a'i hysbrydoli i fynnu ennill Hamilton yn Nhachwedd 1967 a gosod Winnie Ewing yn Westminster.'

Bywyd Cymro, Gwynfor Evans

230. Gwynfor yn annerch yn un o'r niferoedd o gynadleddau'r S.N.P. y bu'n brif westai ynddyn nhw. Y tu ôl iddo o'r chwith mae Winnie Ewing, Andrew Welsh, Donald Stewart, William Wolfe a Dr Robert McIntire.

'Bûm yn aml iawn yn yr Alban o 1938 ymlaen ... i siarad yng nghynhadledd flynyddol y Blaid Genedlaethol ... Gwelais yr S.N.P. yn tyfu o fod yn blaid llawer llai na Phlaid Cymru ... Dim ond pum sedd a ymladdodd yn 1959, pan oedd Plaid Cymru'n ymladd ugain mewn gwlad hanner maint yr Alban.'

Bywyd Cymro, Gwynfor Evans

'Fe'i hetholwyd yn Llywydd yr Undeb Celtaidd ... Nid anghofiodd Gwynfor Evans anghenion gwledydd bychain eraill pan roddodd ei araith gyntaf yn Nhŷ'r Cyffredin wedi ei ethol yn is-etholiad Caerfyrddin yn 1966 ... Yn 1970 cynhaliodd y Blaid ei chynhadledd flynyddol yn Aberystwyth ... darllenwyd datganiad o genedligrwydd Cymru a'r Alban ... Danfonwyd dau gopi memrwn i'r Cenhedloedd Unedig ... a chopi arall i'r Llyfrgell Genedlaethol.'

Gwynfor Evans, Pennar Davies

232

233

232. Roedd cyfle i fynd am ychydig o wyliau hefyd. Gwynfor, Rhiannon a Tudor ei frawd-yng-nghyfraith yn Fenis yn 1950.

233. Dau blentyn â baner Cymru, yn Efrog Newydd.

'Yn ... 1958, croesodd Gwynfor y môr i'r Amerig a chael derbyniad a dylanwad helaeth yno yn Nhachwedd a Rhagfyr. Buasai mewn cryn bryder cyn ymgymryd â menter mor feichus, ond bu'n llwyddiant digamsyniol. Anerchodd gynulliadau pwysig yn Washington ac Efrog Newydd a Phrifysgol Iâl, ac fe'i clywyd ar radio a theledu. Cyflwynodd osodiad am Gymru i swyddfeydd y Cenhedloedd Unedig. Daeth llawer i'w adnabod ac i feddwl amdano fel arweinydd Cymru. Ymwelodd hefyd â deg ar hugain o ganolfannau i annerch Americaniaid Cymreig.'

Gwynfor Evans, Pennar Davies

234

234. Gwynfor yn Washington yn 1958.

235

235. Torri cacen Croeso Adref ar ôl dychwelyd o America.

236

236. Cerdyn gwahoddiad i barti croesawu Gwynfor yn
ôl o America.

237

237. Gwynfor a Rhiannon yn America eto yn 1976.

238

239

238. Gwynfor gyda Dirprwy Uchel-gomisynydd India, Ei Uchelder Kewal Sing, yn 1965.

239. Rhiannon a Gwynfor y tu allan i'r Dalar Wen cyn i Gwynfor gychwyn ar ei daith i Cambodia yn 1967.

'Y daith fwyaf diddorol a wnes i oedd honno yn 1967 i Cambodia er mai taith i Ogledd Vietnam oedd hi i fod ... Pnom Penh yw'r ddinas harddaf a welais erioed ... gyda bwlefardiau llydain coediog yn rhedeg at lan Afon Mekong.'

Bywyd Cymro, Gwynfor Evans

240

240. Gwynfor gyda chyfeillion o Conradh na Gaeilge yn Nulyn yn 1980.

'Yn 1980 anerchais rali'r Cynghrair Gaeleg oddi ar lwyfan y tu allan i'r Swyddfa Bost enwog a fu'n gaer i Connolly a Pearse yn y gwrthryfel hwnnw.'

Bywyd Cymro, Gwynfor Evans

241

242

243

244

241. Gwynfor gyda Llywydd Senedd Salzburg yn 1975.

242. Symposiwm i anrhydeddu Leopold Kohr yn Salzburg yn 1980. Bu Gwynfor a Leopold Kohr yn ffrindiau da ar hyd y blynyddoedd.

243. Gwynfor yn Yr Aifft yn 1980.

244. Gwynfor gyda Per Denez (ar y dde).

'Un a gadwodd gysylltiad agos â Llydaw ... Per Denez, arweinydd y mudiad cenedlaethol heddiw ... Yr unig Lydawr adnabyddus a fu'n aros gyda ni oedd ... Yann Fouérè, arweinydd y mudiad cenedlaethol Llydewig.'

Bywyd Cymro, Gwynfor Evans

245

245. Gwynfor yn ymweld â Leningrad yn 1988.

246. Gwynfor gyda'r Cyd-gysylltydd Rhyngwladol, Arturo L. Roberts, yn derbyn Gwobr Anrhydedd Cymru'r Cyfanfyd yn Eisteddfod Genedlaethol Cymru, Llanelli, 2000. Yn y llun hefyd mae'r gemydd Celtaidd Anthony Lewis a'r Cyd-gysylltydd Cymreig, Henry Jones-Davies.

247. Y Lleuadydd Cymreig a gyflwynwyd i Gwynfor Evans yn Eisteddfod Genedlaethol Llanelli, 2000.

246

247

AR GRWYDR AR DRAWS CYMRU *(Pennod I I)*

248

248. 'Yn ôl un amcangyfrif, fe deithiodd Gwynfor dros filiwn a chwarter o filltiroedd yn ystod ei fywyd – er mwyn Cymru. Ewch i'r Llyfrgell Genedlaethol i weld rhai o luniau Geoff Charles ac fe gewch yr argraff fod Gwynfor ym mhob un ohonyn nhw.' (Gwerthfawrogiad yr Athro Geraint Jenkins yn y Gymanfa Goffa yng Nghaerfyrddin 2005).

250

250. Gwynfor yn chwifio'r faner wrth Dy'n Llidiart ger Dolgellau.

249

249. Gwynfor yn ei gar newydd, ac olaf, yn 1997. 'Bob amser gollyngwn ochenaid ddofn o ryddhad pan gyrhaeddwn o fewn deng milltir i Langadog; hyd yn oed pe torrai'r car i lawr gallem gerdded o'r pellter hwnnw!'

Bywyd Cymro, Gwynfor Evans

251

251. Rhai o ddarpar-ymgeiswyr Plaid Cymru yn yr Etholiad Cyffredinol yn 1964: R. Tudur Jones, Gwynfor Evans, Chris Rees, John Thomas, Elystan Morgan, Pennar Davies, Glyn James, Emrys Roberts ac R. E. Jones.

252

253

252. Gwynfor yng nghwmni'r actor enwog Meredydd Edwards, a weithiodd mor gyson dros Blaid Cymru.

253. Bu Carwyn James a Gwynfor yn cydweithio'n agos iawn. Safodd Carwyn dros Blaid Cymru yn etholaeth Llanelli yn 1970 gan ennill 8,387 o bleidleisiau.

254. Edmygai Gwynfor waith caled a chyson ei gyfaill Dafydd Orwig. Dyma'r ddau wrthi'n rhoi'r byd yn ei le.

254

255. Gwynfor gyda nifer o'r cynadleddwyr a'r darpar-ymgeiswyr yng Nghynhadledd Plaid Cymru yn 1969.

Y rhes flaen: Dafydd Elis Thomas, Dafydd Wigley, Gwynfor Evans, Euryn Ogwen Williams, Errol Jones, Wynne Samuel a Stuart Neal. Y tu ôl: Edward Millward, Alun Ogwen, Chris Rees, John Lazarus Williams, Harri Webb, Nans Gruffydd, D. J. Williams, Nans Jones, Dafydd Huws, Gwynn Matthews ac Elwyn Roberts.

256. Cynhadledd 1975 yn Wrecsam: derbyniad swyddogol gan y Maer.

O'r chwith: Noel Wright (Dirprwy-faer), John Thomas, Cynghorydd Plaid Cymru (a ddaeth yn faer yn 1981), Hywel Roberts (darpar-ymgeisydd seneddol y Blaid yn etholaeth Wrecsam, ac a enillodd sedd ar Gyngor Wrecsam Maelor yn 1976), Maer Wrecsam, y Cynghorydd Agnes McConville, Gwynfor Evans, Glyn Owen, y Faeres, y Cynghorydd Rose Nicholson, Huw Thomas (brawd Rhodri Glyn Thomas), Mrs Noel Wright, Ieuan Wyn Jones, Val Dyer, Mrs Rennie Jones, Eric Owen.

255

256

257

257. Noson Deyrnged ac Anrhegu Elwyn Roberts ar ei ymddeoliad yn y Royal, Caernarfon, am ei wasanaeth hir a chlodwiw i Blaid Cymru yn 1973. Yn y cefn y mae Margaret ac R. Geraint Jones, Phyllis Elis, Dafydd Williams, Gwenan Lewis, ac yn y blaen, Gwynfor Evans, Elwyn a Nansi Roberts, Robin Léwis.

258

259

259/260. Gwynfor yn dadorchuddio Carreg Goffa Brwydr Gŵyr 1136 ar y Garn Goch ger Abertawe ym mis Mawrth 1981.

258. Eisteddfod Genedlaethol Caernarfon, 1979. Gwynfor Evans yn cyfarfod â chyn-garcharorion rhyfel Eidalaidd a oedd yn Henllan ger Castell-newydd Emlyn, 1943-45.

O'r chwith: Davide Briguori, Maria Ferlito, Caterina Radamante, Gwynfor Evans, Aldo Radamante a Mario Ferlito.

Ar ddydd Gwener Eisteddfod Genedlaethol Abergwaun yn 1986, cyflwynodd Mario Ferlito 'Dlws Heddwch' i'r Archdderwydd Elerydd ar ran y carcharorion fel arwydd o ddiolchgarwch am ymddygiad gwâr y Cymry yn ystod eu carchariad ac i hybu heddwch a brawdgarwch pellach rhwng Cymru a'r Eidal. Bu Gwynfor Evans yn symbyliad i'r rhodd.

260

261

262

262. Gwynfor yn agor Swyddfa Plaid Cymru yng Nghaernarfon yn Hydref 1993.

Yn y llun mae Delyth Lloyd, Elfed Roberts, Alun Ffred Jones, Phyllis Elis, Gwynfor a Dafydd Wigley.

261. Gwynfor a Rhiannon gyda Glyn a Hawys James, Maer a Maeres Y Rhondda, ar noson Cinio Dinesig y Maer yn 1985. Treuliodd Glyn James ei oes yn gweithio dros Blaid Cymru yn y cymoedd a thrwy Gymru gyfan. Mawr oedd edmygedd Gwynfor ohono.

263

COFIO'R DIWEDD

(*Pennod* I 2)

263. Y gwleidydd a'r gwladweinydd mawr yng nghyfnod ei ymddeoliad.

Ar Ionawr 8, 2004, dyfarnwyd Gwynfor trwy bleidlais yn y *Western Mail*, a chyda'r mwyafrif llethol o bleidleisiau, yn 'Greatest Living Welsh Statesman'.

'Wrth i 2004 dynnu at ei therfyn, gwaelodd Gwynfor a Rhiannon yn arw ... Yna, yn gynnar fore Iau 21 Ebrill 2005 ... Llithrodd Gwynfor i drwmgwsg a bu farw, awr yn ddiweddarach, ym mreichiau ei fab Guto. Roedd yn 92 oed ... roedd y gwaddol go iawn yn enfawr. Y gwaddol hwnnw yw Cymru a'r hyn yw hi heddiw.'

Gwynfor: Rhag Pob Brad, Rhys Evans

Gwynfor a Rhiannon

Ar y mynor mae enwau rhieni
Gyfrannodd eu gorau
I barhad gwlad ein tadau
Yn unfryd, yn ddiwyd ddau.

Dafydd Wyn Jones

Gwynfor

Gwarchodai, hyrwyddai'r hyn a'n hunai'n
genedl, rhag i berthyn
droi'n frad, a'n holl wlad yn llyn,
daear wâr yn Dryweryn.

Alan Llwyd

264

265

GWYNFOR

1912 - 2005

"Gwyn eu byd y rhai sy'n newynu a sychedu am gyfiawnder, oherwydd cânt hwy eu digon."   *Matthew 5.6.*

Gwasanaeth i ddiolch mewn llawenydd
am fywyd a gwaith
GWYNFOR EVANS
1912 - 2005

Gŵr cariadus Rhiannon Prys
a thad, tadcu a hen dadcu annwyl

Gwladgarwr a Heddychwr

Eglwys Gynulleidfaol Seion
Stryd y Popty
Aberystwyth
am 1.30 y.p.
ddydd Mercher, 27ain Ebrill, 2005

Organydd: Howard Williams
Pïbydd: Ceri Mathews

Cludwyr yr arch: Peter Hughes Griffiths,
Elfyn Llwyd, Adam Price, Rhodri Glyn Thomas,
Simon Thomas, Hywel Williams

TREFN Y GWASANAETH

Llywydd: D. Huw Roberts, Bethel, Pancyrhos.
Galwad i Addoli: Andrew Lenny, Seion, Stryd y Popty

Emyn 1

Darlleniadau:
Ronald Williams, Caernarfon.
Hefin Jones, Llywydd Undeb yr Annibynwyr.

Gweddi:
Casi Jones, Y Barri.

Emyn 2

Dafydd Elis Thomas
Ieuan Wyn Jones
Dafydd Iwan
Jill Evans
Cynog Dafis
Dafydd Wigley

Emyn 3

Pregeth:
Vivian Jones, Hendy, Pontarddulais.

Emyn 4

Y Fendith:
Dewi Myrddin Hughes, Ysgrifennydd Undeb yr Annibynwyr.

'Roedd angladd Gwynfor ... ar 27 Ebrill 2005 yn gwbl gydnaws â natur y dyn; seremoni gyhoeddus heb ffin o fath yn y byd rhwng y preifat a'r politicaidd. O'r archgludwyr i'r rhai a roes deyrnged iddo yng nghapel Seion, Aberystwyth, ni allesid fod wedi cael seremoni fwy gwleidyddol. Y cynhebrwng hwn, y tebycaf a welodd y Gymru Gymraeg i angladd gwladol ers claddedigaeth Lloyd George, oedd ei weithred fawr olaf. Yn wir, ystyrid yr angladd cyn bwysiced nes i S4C ei darlledu'n fyw ... Gadawodd yr hers am amlosgfa Aberystwyth i fonllefau o gymeradwyaeth ac i genllif o ddagrau. Roedd bywyd daearol Gwynfor wedi darfod.'

Gwynfor: Rhag Pob Brad, Rhys Evans

265/266. Cludwyr yr arch: Peter Hughes Griffiths, Elfyn Llwyd, Adam Price, Rhodri Glyn Thomas, Simon Thomas a Hywel Williams.

266

267

267. Carreg Goffa Garn Goch.

'Fodd bynnag, i Gwynfor roedd yna un daith olaf: y daith i'r Garn
Goch, bryngaer Geltaidd ar gopaon Sir Gâr, lle dymunai i'w lwch
gael ei wasgaru. Yn addas ddigon, roedd Gwynfor am ddychwelyd
i'r pridd a chwblhau'r cylch gan mai yno, yn naear Cymru, y
dechreua ei stori.'

Gwynfor: Rhag Pob Brad, Rhys Evans

268. Gwynfor a Rhiannon.

'Wedi ysbrydoli llawer ar Gwynfor i osod sylfaen ei
genedligrwydd yn gadarn, rhoes iddo hefyd y rhyddid i fynd ar
gerdded i gyhoeddi ei genedlaetholdeb trwy Gymru. Nid
amheuodd erioed y rhaid a'r anghenraid a fu arno i fynd i rywle –
yn dawel derbyniodd ei deithiau, yn agos, ymhell, haf a gaeaf.
Bodlonodd fod heb ei gwmni er mwyn ei genhadaeth ... Pan
ddaw'r dydd i'r genedl gostus hon ennill ei rhyddid, bydd enw
Gwynfor yn uchel ar restr y rhai a dalodd y pris. Bydded i ddynion
... yn yr awr ddiddig honno dorri yn ogyfuwch ag enw Gwynfor
enw rhyfeddol Rhiannon hefyd.'

Y Ddraig Goch, Awst 1966, *Geiriau Gwynfor*

268

269

269. Adeilad newydd Cynulliad Cenedlaethol Cymru.

'Gwynfor a greodd y 'mudiad cenedlaethol' ... Gwynfor hefyd oedd tad Ymgyrch Senedd i Gymru – y mudiad hwnnw a roes ddatganoli ar yr agenda am y tro cyntaf ers pedwar degawd. Mae cofeb arhosol yr ymgyrch honno i'w chael ym Mae Caerdydd ... Fe'i gelwir yn gynulliad, y symbol gloywaf, er gwaeth neu er gwell, o awydd y Cymry i fyw fel cenedl wleidyddol.'

Gwynfor: Rhag Pob Brad, Rhys Evans

270

271

270. Rhodri Glyn Thomas ac Adam Price, deiliaid ei hen etholaeth yng Nghaerfyrddin a'i chynrychiolwyr yn enw Plaid Cymru yng Nghaerdydd a Llundain.

'Trwy ei 'achub' ei hun rhag bryntni'r Barri, newidiodd Gwynfor Evans gwrs hanes Cymru.'

Gwynfor: Rhag Pob Brad, Rhys Evans

272

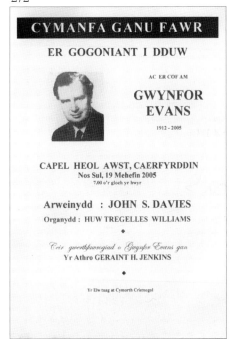

272. Dyfyniadau o'r 'Gwerthfawrogiad' a gyflwynodd yr Athro Geraint H. Jenkins, Aberystwyth, yn y Gymanfa Goffa yng Nghapel Heol Awst, Caerfyrddin:

'Ei fwriad oedd adeiladu cenedl rydd, gyfrifol a hyderus drwy adfer cof ei phobl a chryfhau eu hewyllys i fyw …
Oni bai am Gwynfor ni fyddai'r Cynulliad Cenedlaethol yn bodoli … Roedd gan Gwynfor ffydd ddiderfyn yng ngalluoedd a thalent pobl Cymru, ac fe ddylem gofio amdano fel 'llusernwr y canrifoedd coll' … Dro ar ôl tro, roedd Gwynfor yno yn sefyll yn y bwlch. Mae ei fywyd yn ddrych i hanes Cymru o'r 1940au ymlaen … Sail bywyd Gwynfor oedd ei Gristnogaeth a'i heddychiaeth. Iddo ef, rhodd gan Dduw yw ein cenedl, a chariad Crist yw'r gwir sylfaen i fywyd. A dyna pam, er gwaethaf pob siom a dirmyg a brad, roedd Gwynfor yn feunyddiol fonheddig … Yn ôl John Bunyan, fe ofynnir un cwestiwn i chi wrth borth y nefoedd, 'Were you doers or talkers only?' 'Doer', gweithredwr, oedd Gwynfor ac, o'i golli mae dyletswydd arnom ninnau i weithredu …

Gwyn eu byd y tangnefeddwyr, canys hwy a elwir yn blant i Dduw.'

273

273. Rhys Evans, a enillodd wobr Llyfr y Flwyddyn 2005 am ei gyfrol *Gwynfor: Rhag Pob Brad*, ar fywyd Gwynfor Evans.

274

274. Murlun o waith Ruth Jen sydd i'w weld ar fur adeilad y Lolfa yn Nhalybont, Ceredigion, wrth deithio drwy'r pentref i gyfeiriad y gogledd.

275. Plant Gwynfor gyda Dewi Watcyn Powell a Peter Hughes Griffiths ar noson lawnsio'r gyfrol *Geiriau Gwynfor* yn 2006.

'Ymladd brwydrau gwleidyddol y mae Plaid Cymru heddiw ... ymladd brwydr seicolegol oedd tasg Gwynfor Evans ... Yn y frwydr honno enillodd Gwynfor Evans fuddugoliaeth ysgubol. A fyddai plaid o'r enw 'Llafur Cymru' oni bai am Gwynfor Evans? Go brin. A fyddai cynulliad yng Nghaerdydd, S4C, Radio Cymru? Annhebygol iawn. Ni chafodd ei freuddwyd fawr, hunanlywodraeth, ei gwireddu. Ond nid ennill hunanlywodraeth er mwyn hunanlywodraeth oedd cymhelliad Gwynfor. Diogelu cenedligrwydd a diwylliant Cymru oedd yn ei sbarduno a thra bo dyfodol y Gymru Gymraeg o hyd yn ansicr ym meddyliau ei phobl, does dim amheuaeth bod Cymru'n genedl.

I Gwynfor y mae'r diolch.'

Vaughan Roderick, Ebrill 22, 2005, *O Vaughan i Fynwy*

275

'Er na allaf honni bod yn llenor fe sgrifennais i gryn dipyn am fy mod fel propagandydd yn credu yn nerth y gair ysgrifenedig yn ogystal â'r gair byw.'

Bywyd Cymro, Gwynfor Evans

'Ym Mawrth 1989, cyhoeddodd ei filiynfed gair yn ei unfed llyfr ar ddeg, *Pe Bai Cymru'n Rhydd*. O fewn dwy flynedd, llifodd cyfrol arall o'i ysgrifbin, *Fighting for Wales*.'

Gwynfor: Rhag Pob Brad, Rhys Evans

Yn 2001 cyhoeddwyd y gyfrol *Cymru o Hud* yn adlewyrchu treftadaeth hanesyddol gyfoethog Cymru trwy gyfrwng plethiad caeth o argraffiadau geiriol Gwynfor Evans a ffotograffiaeth sensitif Marian Delyth.

'Pwysigrwydd unigryw *Aros Mae* (a gyhoeddwyd yn 1971) yw mai dyma'r unig lyfr sylweddol yn ein hamser ni sy'n cyflwyno hanes Cymru o'r dechrau hyd heddiw fel hanes cenedl ... ymgymerai Gwynfor Evans ei hun â'r dasg,

ac mewn amser anhygoel o fyr dihidlodd ddysg a myfyrdod oes yn llyfr sydd erbyn hyn ar silffoedd y Cymry darllengar ymhobman.'

Gwynfor Evans, Pennar Davies

'Ysgrifennais y ddwy ddalen gyntaf o nodiadau ddydd Nadolig 1970; yr oedd ar werth o fewn saith mis yn y siopau ac yn yr Eisteddfod ... Ond o bawb a helpodd, Rhiannon oedd yr arwres. Hi a deipiodd y cyfan o'm hysgrifen wael i fel y teipiodd gynifer o'm llyfrau ac erthyglau ... Gwerthwyd y cyfan o bum mil yr argraffiad cyntaf yn bur gyflym ... a chafwyd ail argraffiad buan.'

Wedi clywed bod galw am gyfieithiad Saesneg o *Aros Mae* daeth Elin Garlick ataf ar faes yr Eisteddfod i gynnig gyda haelioni ysbryd mawr wneud y gwaith fel llafur cariad. *Land of My Fathers* oedd y canlyniad. Credaf mai dwy fil a argraffwyd o hwn ond cafodd ei adargraffu deirgwaith wedyn. Mewn llythyr a gefais yn haf 1981 gan Rhys Nicholas ... dywedodd mai "hwn yw'n 'gwerthwr gorau' ni o bob llyfr a gyhoeddwyd gennym".'

Bywyd Cymro, Gwynfor Evans

Prif Gyhoeddiadau Gwynfor Evans

1944: *They Cry "Wolf"*
1950: *Plaid Cymru and Wales*
1956: *Our Three Nations: Wales, Scotland, England*
1964: *Rhagom i Ryddid*
1966: Record *Cymru'n Deffro*'/'*Wales Resurgent*'
1967: *Black Paper on Wales*
1968: 'Celtic Nationalism' (pennod 2, *Wales*)

1971: *Aros Mae*
1972: *Wales Can Win*
1974: *Hanes Cymru*
1974: *History of Wales*
1974: *Land of My Fathers*
1975: *A National Future for Wales*
1980: Record "*Rhaid i Gymru Fyw*"/"*Wales Must Live*"
1981: *Diwedd Prydeindod*
1982: *Yr Arglwydd Rhys*
1982: *Bywyd Cymro*
1983: *Macsen Wledig a Geni'r Genedl Gymreig/Magnimus Maximus*
1986: *Seiri Cenedl*
1987: *Welsh Nation Builders*
1989: *Pe Bai Cymru'n Rhydd*
1991: *Fighting For Wales*
1991: *Heddychiaeth Gristnogol yng Nghymru*
1996: *For the Sake of Wales*
1996: *Wales: A History – 2000 Years of Welsh History*
2000: *The Fight for Welsh Freedom*
2001: *Eternal Wales*
2004: *Cymru o Hud* (gyda Marian Delyth)
2005: *Land of My Fathers* (7fed argraffiad)

Rhai Llyfrau am Gwynfor Evans

1976: *Gwynfor Evans*, Pennar Davies
2000: *Syniadaeth Wleidyddol Gwynfor Evans*, Richard Wyn Jones
2005: *Gwynfor: Rhag Pob Brad*, Rhys Evans
2006: *Geiriau Gwynfor*, Gol. Peter Hughes Griffiths
2006: Portread DVD/Fideo gan Gwmni Sain o Gwynfor Evans.

Y Prif Ddyddiadau

1912: Ganed Gwynfor Evans yn Y Barri.

1916: Ysgol Gladstone Road, Y Barri.

1923: Ysgol Ramadeg Y Barri.

1931-34: Coleg y Brifysgol, Aberystwyth, gan ennill gradd LL.B. Cymru.

Haf 1934: Ymuno â Phlaid Cymru.

1934: Coleg Sant Ioan, Rhydychen, ac ennill gradd M.A. Oxon.

1935: Ysgrifennydd Cymdeithas Dafydd ap Gwilym yn Rhydychen a sefydlu cangen o Blaid Cymru yno.

1935-39: Cyw-gyfreithiwr yng Nghaerdydd.

1937: Ysgrifennu ei erthygl gyntaf i *Y Ddraig Goch* a dod yn aelod o Bwyllgor Gwaith Plaid Cymru.

1939: Sefydlu 'Tai Gerddi' yn Wernellyn, Llangadog, a'i benodi'n Ysgrifennydd Cymdeithas Heddychwyr Cymru.

1941: Priodi Rhiannon a sefydlu Undeb Cymru Fydd.

1943-45: Is-lywydd Plaid Cymru.

1945-81: Llywydd Plaid Cymru.

1945: Sefyll fel Ymgeisydd Seneddol am y tro cyntaf dros Blaid Cymru yn Etholaeth Meirionnydd. Bu'n ymgeisydd ym Meirion yn 1945, 1950, 1955, 1959, is-etholiad Aberdâr yn 1954 ac yna yn Etholaeth Caerfyrddin yn 1964, 1966 ac is-etholiad 1966, 1970, Chwefror 1974, Hydref 1974, 1979 a 1983. Ymgeisiodd 13 o weithiau dros Blaid Cymru mewn etholiadau seneddol.

1947: Llywydd y Dydd yn Eisteddfod Genedlaethol Bae Colwyn.

(Bu'n Llywydd y Dydd niferoedd o weithiau yn yr Eisteddfod Genedlaethol.)

1949: Ei ethol ar Gyngor Sir Caerfyrddin. Bu ar y Cyngor Sir tan 1974. Cafodd ei ddyrchafu'n Henadur ar y Cyngor yn 1955.

1951: Arwain gwrthdystiad yn erbyn y Swyddfa Ryfel yn Nhrawsfynydd.

1953: Symud i fyw i'r Dalar Wen, Llangadog. Cyflwyno cynnig gerbron Llys y Brifysgol dros sefydlu Coleg Cymraeg yn y Brifysgol.

1954: Ei ethol yn Gadeirydd Undeb yr Annibynwyr.

1956: Arwain gorymdaith yn erbyn boddi Tryweryn trwy strydoedd Lerpwl.

1958: Dod yn aelod o Gyngor Darlledu'r BBC. Teithio i'r Amerig a chael derbyniad a dylanwad helaeth iawn.

1961-2: Llywydd yr Undeb Celtaidd.

1964: Trysorydd Undeb yr Annibynwyr.

1966: Ennill is-etholiad Caerfyrddin dros Blaid Cymru.

1968: Teithio i Cambodia yn Ionawr gan ei gynnig ei hun fel 'tarian ddynol' yn Hanoi; ond gwrthodwyd mynediad iddo i Fietnam.

Cael ei dderbyn i'r Orsedd.

1969: Mewn dadl yn Nhŷ'r Cyffredin cynigiodd sefydlu Sianel Deledu Gymraeg yn darlledu 25 awr yr wythnos.

Calan 1970: Agor Swyddfa Plaid Cymru yn 8 Heol Dŵr, Caerfyrddin.

1972: Traddodi Darlith Goffa Alex Wood yn y Deml Heddwch ar 'Genedlaetholdeb Di-Drais'.

1973: Derbyn Gradd Anrhydedd Doctor yn y Gyfraith gan Goleg y Brifysgol, Aberystwyth.

1974: Ailennill Etholaeth Caerfyrddin i Blaid Cymru.

1976: Teithio i'r Amerig, gyda Rhiannon y tro hwn, i godi arian yn bennaf.

1980: Cyhoeddi ar Fai 5 y byddai'n cychwyn ymprydio ar Hydref 5 dros Sianel Deledu Gymraeg. Ar Fedi 17 cyhoeddodd Llywodraeth Margaret Thatcher y byddai Cymru'n cael ei Sianel Deledu Gymraeg.

1981: Ymddeol fel Llywydd Plaid Cymru yng Nghynhadledd Caerfyrddin.

1983: Sefyll am y tro olaf fel ymgeisydd dros Blaid Cymru.

1984: Derbyn Medal Anrhydeddus Gymdeithas y Cymmrodorion. Symud i fyw i'r Dalar Wen ym Mhencarreg ger Llanybydder.

1988: Sefydlu Mudiad PONT i geisio cyfannu'r gagendor diwylliannol rhwng y Cymry Cymraeg a'r mewnfudwyr.

1991: Derbyn Cymrodoriaeth gan Goleg y Brifysgol, Aberystwyth.

1995: Derbyn Cymrodoriaeth Er Anrhydedd gan Goleg y Drindod, Caerfyrddin.

2000: Derbyn Gwobr Anrhydedd Cymry'r Cyfanfyd ar lwyfan Eisteddfod Genedlaethol Llanelli. Hwn oedd ei ymddangosiad cyhoeddus olaf.

2004: Dyfarnwyd trwy bleidlais yn y *Western Mail* yn 'Greatest Living Welsh Statesman'.

Ebrill 2005: Bu farw Gwynfor Evans yn 92 oed.

DIOLCHIADAU

Ar hyd ei fywyd derbyniodd Gwynfor Evans gopïau cyfarch o luniau a dynnwyd ohono gan ffotograffwyr proffesiynol a ffrindiau lu. O ganlyniad mae gan y teulu gasgliad amhrisiadwy o luniau sy'n cofnodi bron bob agwedd ar ei fywyd. Bellach gosodwyd y casgliad hwnnw ar y cyfrwng cyfrifiadurol digidol ac ar ddisgiau, a phrofiad unigryw oedd cael edrych arnynt wrth baratoi'r gyfrol hon.

Roedd dewis a dethol o'r cannoedd lluniau hynny'n waith pleserus ond anodd iawn, a diolchaf i'r teulu am eu parodrwydd a'u cymorth. Gan mai copïau cyfarch o eiddo Gwynfor yw nifer helaeth o'r lluniau, mae bron yn amhosibl cydnabod ein diolch i'r ffotograffwyr hynny.

Er hynny, gallaf ddiolch i'r canlynol am eu caniatâd caredig i gynnwys eu lluniau: Arwel Davies, Caerfyrddin; Ken Davies, Caerfyrddin; Marian Delyth, Blaenplwyf; Ron Davies, Aberaeron, ynghyd â Siôn Jones ac Owain Orwig; staff Llyfrgell Tref Caerfyrddin a staff Llyfrgell Genedlaethol Cymru; Swyddfa Plaid Cymru, Caerdydd, a Jim Lynch o Swyddfa'r S.N.P. yn Yr Alban.

Defnyddiais luniau hefyd o eiddo: Roy a Rhoswen Llewellyn, y Parchedig Herbert Hughes, Jon M. O. Jones, Dr Robyn Léwis, Gareth James, y Parchedig W. J. Edwards, Glyn a Hawys James, y Parchedig Ronald Williams, Nancy Thomas, Lisa Lloyd, y Parchedig Beti Wyn James, Dyfed Elis Gruffydd, Robin Griffith, Tom Clement Y Barri ac Elfed Roberts o'i gasgliad o'r *Ddraig Goch*.

Gwerthfawrogaf ganiatâd caredig Rhys Evans a'r Lolfa am gael dyfynnu allan o'r gyfrol *Gwynfor: Rhag Pob Brad*, a hefyd ganiatâd Gwasg Gwynedd am gael dyfynnu o hunangofiant Gwynfor yng Nghyfres y Cewri, *Bywyd Cymro*. Diolch hefyd i Wasg John Penry am gael dyfynnu allan o gyfrol Pennar Davies, *Gwynfor Evans*.

Bu cyngor dau gyn-olygydd cyfrolau 'Bro a Bywyd', sef R. Alun Ifans a Rheinallt Llwyd, yn werthfawr tu hwnt i mi.

Diolchaf i Hedd Gwynfor am ei gymorth parod yn sganio a chopïo ac yn gosod y lluniau o'i dad-cu ar ddisg ar gyfer y gwaith dylunio, ac i Dafydd Llwyd am wneud y gwaith hwnnw ar gyfer yr argraffwyr.

Mae fy nyled yn fawr i Barddas ac yn enwedig i Alan Llwyd am ei

waith trylwyr arferol yn llywio'r gyfrol drwy'r wasg, a diolch i Wasg Dinefwr am lendid yr argraffu.

Peter Hughes Griffiths